Ecourile Apa
În Rândul Cititorilor

Cu trei zile în urmă mi-a venit pe mail cartea.

Mi-a plăcut nespus de mult să citesc această carte, „Pe cont propriu", din care am aflat multe lucruri noi, care o să-mi fie de folos în viață, lucruri care mi-au schimbat multe convingeri despre oameni și omenire în general. Am înțeles cum mă ajută credința că eu sunt cea mai importantă persoană din viața mea și că schimbarea trebuie să înceapă cu mine și de la mine însămi. Am înțeles ce să fac ca să trec de la persoana „căreia i se întâmplă lucruri" la persoana care „face lucrurile să se întâmple".

P.S.: Recomand cu toată încrederea...!!!

Succese mari înainte, Vadim!

—Carina Chirilov

Viața ne dă multe lecții. Dar problema este că nu toată lumea își învață lecția. Această carte a venit ca o mănușă la stadiul în care mă aflu eu, și anume cel de autocunoaștere. M-a ajutat să înțeleg că doar eu îmi impun limite. Doar eu sunt stăpân al propriei mele sorți. Bărbăția cu care Vadim a înfruntat greutățile, deși era încă un copil, spune despre caracterul măreț pe care îl are. Este o carte care, pe lângă lecții învățate, ne da și soluții. Vrei să ajungi un om de succes, ia-ți o persoană model lângă tine. Vadim poate fi, nu există nici o îndoială, acea persoană.

—Alexandru Gorea

Mulțumesc din suflet, Vadim, pentru carte! Este pur și simplu minunată. Mi-a influențat definitiv modul de a gândi, de a trăi. Este o carte mai mult decât motivantă, și cel mai important lucru pe care l-am învățat citind povestea vieții tale este că întotdeauna trebuie să ne ascultăm instinctele și că toate răspunsurile de care avem nevoie se găsesc de fapt în noi. Recomand cu încredere „Pe cont propriu" celor cărora le place să-și „piardă" timpul frumos, cu cărți frumoase despre oameni frumoși.

—Oxanel Hîrștioagă

Am absorbit fiecare pagină și fiecare cuvânt cu sufletul la gură, arzând de curiozitatea de a afla ce se va întâmpla mai departe și cum vei supraviețui următorului coșmar. Această poveste este o lecție de viață pentru foarte mulți și te ajută enorm să-ți găsești propria motivație. Indiferent în ce punct al vieții te afli, ea te ajută să crezi că poți să îți atingi orice țel. Citind cartea, am devenit și mai motivată să nu mă opresc din drumul pornit pentru a-mi atinge scopul.

—Ina Mereacre

„Pe cont propriu" este o carte extraordinară, care trebuie citită de toți. Sunt și eu un imigrant, care am plecat de acasă, ca și mulți alții, pentru căutarea succesului financiar, dar nu am fost atât de motivat și de curajos pentru a atinge succesul pe care speram să-l ating. Citind istoria lui Vadim, mi s-a trezit în suflet o altă speranță, care mă motivează și mă ajută să cred că totuși se poate și mai mult: e ca și cum mi-a aprins focul care se stinsese, mi-a dat o scânteie ca să mă pot aprinde din nou, m-a făcut să cred și mai mult că totul e posibil. Îți mulțumesc, Vadim, pentru inspirație. Ești extraordinar. SUCCES!!!

—Serghei Rusu

O carte de nota 10, ce te motivează să crezi în tine, în forțele tale și să îți vezi cu alți ochi eșecurile, pe care poate nici nu le-ai atins, dar care deja te-au doborât, trezindu-ți gândul de a renunța la visurile tale. Unele fraze din carte merită să le porți mereu în minte, ca pe un talisman, pentru că te motivează să nu renunți niciodată la ceea ce îți place să faci. Bravo!!!

—Elena Mereacre

PE CONT
PROPRIU

Pe Cont Propriu

Trăieste Independent Începând de Astăzi

Vadim Turcanu

ISBN: 978-1-9993633-5-2 (softcover, traducere în limba română)
ISBN: 978-1-9993633-2-1 (audiobook, traducere în limba română)
ISBN: 978-1-9993633-3-8 (carte electronică, traducere în limba română)
ISBN: 978-1-9997259-0-7 (softcover in English)
ISBN: 978-1-9997259-1-4 (hardcover in English)
ISBN: 978-1-9997259-2-1 (ebook in English)
ISBN: 978-1-9999346-2-0 (audiobook in English)

Traducere: Vali Florescu

Copertă și tehnoredactare: Sun Editing & Book Design,
www.suneditwrite.com

Publicată de Picassic Limited
40A Warwick Way, London, SW1V 1RY
Publicată în Regatul Unit al Marii Britanii

Această carte este dedicată părinților mei și familiei mele, care au știut mereu cum să mă motiveze să fac mai mult; antrenorului meu, Filip Batir, pentru încrederea lui în mine și șansa pe care mi-a oferit-o; antrenorului meu, Vasile Luca, de la LIRPS[1], care mi-a dat un start solid în viață cu atitudinea lui severă, cu ajutorul căreia a făcut din mine un om mai puternic; prietenilor mei, începând cu cei de la LIRPS, care au fost alături de mine în cele mai dificile situații din primii ani ai dezvoltării mele; soției și fiului meu, care m-au ajutat să-mi descopăr latura tandră și iubitoare și mi-au dat motive să devin un om mai bun.

Le mulțumesc, de asemenea, tuturor oamenilor inimoși care m-au ajutat pe parcursul călătoriei mele; Marinei Nani, pentru că a apărut în viața mea mea la momentul potrivit, pentru sprijinul său și faptul că m-a încurajat să îndrăznesc, și Viktoriei Cerena, care a muncit neobosită, până noaptea târziu, în diversele etape ale nașterii acestei cărți.

---

1 Liceul-internat republican cu profil sportiv

CUPRINS

Cuvânt Înainte

ONFORM CELUI MAI recent raport ONU despre migrație, în lume există 244 de milioane de emigranți, iar alte cinci milioane de persoane pleacă în fiecare an către alte țări. Migrația internațională în creștere este noua realitate din fiecare colț al globului și un semnal de alarmă pentru o posibilă diviziune socială în țările occidentale, în care caută pacea și prosperitatea două treimi dintre emigranții de pe plan mondial.

Dacă am vrea să căutăm vinovați, am putea spune că liniile aeriene au făcut să le fie foarte ușor oamenilor, prin oferte de zbor ieftine și rapide, să se dezrădăcineze și să se mute într-un oraș mai bun și o țară mai bună, în căutarea unui trai mai bun. Dar ce îi face pe oameni să-și lase în urmă casa și vechea viață, pentru a-și urma visul de a avea o viață mai bună?

Faptul că lumea e un loc minunat e adevărat doar pentru unii dintre noi; pentru alții, e o realitate dură alcătuită din conflicte, lipsă de șanse, sărăcie și inechitate socială. Ce te face să lași în urmă tot ce cunoști, pe toți cei pe care-i iubești și să renunți la tot pentru un viitor mai bun pentru tine și familia ta?

Numărul emigranților către țări cu venituri mijlocii scade, însă cel al emigranților către țări cu venituri ridicate creşte. Care este povestea din spatele acestor emigranți de mare succes, care iau lumea cu asalt, cu inteligența, înverșunarea lor de a obține rezultate rapide și compasiunea lor? Care este povestea nespusă?

În *Pe cont propriu*, un tânăr curajos din Moldova merge pe jos șase luni pentru a ajunge la o destinație despre care nu știe nimic, o țară nouă în care până și închisoarea e o alternativă mai bună decât ce a lăsat în urma lui. Vadim Turcanu e un antreprenor de nivel mondial, campion la judo și filantrop care își împărtășește propria viziune pentru a-i ajuta pe alții să-și creeze oportunități pentru o viață mai bună.

Citind povestea adevărată a autorului – care a mers pe jos șase luni, desculț, neavând nimic decât propriul său vis, de a fi un învingător la jocul vieții –, unii s-ar putea gândi: „De ce am eu nevoie să aflu povestea lui?" Răspunsul e foarte simplu: Poți afla cine ești și cum să-ți depășești prejudecățile, care te înfrânează, și statutul social, care te condiționează.

Însă principalul mesaj al acestei cărți este că tu însuți ești un emigrant, chiar dacă nu ți-ai părăsit niciodată căminul confortabil în căutarea unei vieți mai bune. Chiar și atunci când ai îndeplinit așteptările celorlalți, tot ai dreptul să te întrebi cine ești și ce alte opțiuni ai mai putea avea, atunci când privești cu mintea deschisă realitățile altora. Ce-au făcut alții ca să aibă un asemenea succes?

Emigrarea nu e o chestiune geografică și nici nu se referă, strict vorbind, la mutarea de la sat la oraș, dintr-o țară într-alta, ci la mutarea din locul în care te afli în prezent, în viața ta, în cel în care îți dorești să fii.

Marina Nani, Fondatoare Radio W.O.R.K.S. World

I

EMIGRARE

HABAR N-AM DACĂ e întuneric sau e încă zi. Am uitat să întreb cât era ceasul când am plecat. Vântul îmi suflă în față și îmi răvășește părul. Zgomotul străzii se aude mai tare, motoarele mașinilor îmi vâjâie în urechi și aproape le simt gazul de eșapament atingându-mi fața.

Am plecat de la o întâlnire de la hotelul Park Plaza din Victoria și merg spre stația Victoria pentru a lua metroul spre casă. N-am mai fost de mult cu metroul – și e în mod sigur o experiență extrem de diferită de condusul propriei mașini către casă, așa cum m-am obișnuit să fac în ultimii șase ani.

Doar că de data asta e mai mult decât neobișnuit: nu văd nimic. În cea mai mare parte a timpului nu știu precis unde mă aflu și sunt ghidat de un puști de opt ani. În mod normal, n-aș lăsa un copil de opt ani să se ducă singur nici în parcul de lângă casă, nu mai zic să ducă de mână un adult prin Londra...

13

Am încredere în fiul meu, dar are doar opt ani! E a doua zi în care nu văd nimic. Ne-am pierdut unul de altul de cel puțin trei ori, inclusiv prin casă. Nu-mi vine să cred ce prost stau cu orientarea. Deși mi se spune unde mă aflu și ce am în față, nu reușesc să-mi imaginez locul fără repere vizuale. Faptul că m-am bazat pe Alex, fiul meu, să mă ghideze, deși nu e o variantă perfectă, m-a ajutat să rămân în viață aproape două zile. Trebuie să-l liniștesc în permanență că mă descurc și să-i spun să mă anunțe dacă urmează trepte, copaci sau ziduri, pentru eventualitatea că îl fură peisajul și uită să mă avertizeze. Am deja un început de vânătaie pe umăr și am luat vreo câteva crengi de copaci în față – e de înțeles, Alex e mai scund și crengile mai joase nu-l ating.

A trebuit să-mi anulez câteva întâlniri și să le rezolv telefonic, dat fiind că n-aș fi reușit să ajung decât cu mașina personală.

Faptul că nu-mi pot verifica telefonul pentru a citi feedurile, mesajele și e-mailurile mă scoate din minți.

Nu pot face aproape nimic fără ajutorul altcuiva. Și simt că înnebunesc, pentru că niciodată nu m-am bazat pe altcineva sau pe ceva din afara mea.

Regret chiar și că am început acest experiment.

După ce am făcut primul interviu la emisiunea mea radio, m-am gândit să-i iau interviu lui Oleg Crețul. Oleg e o persoană importantă din viața mea. Fără să știe, m-a motivat întotdeauna. A trecut printr-o tragedie mai mare decât a trăit orice altă persoană pe care o cunosc – la doar douăzeci și unu de ani, a pierdut tot ce avea și tot ce prețuia mai mult într-un accident de mașină cumplit: și-a pierdut soția, copilul nenăscut și vederea –, a reușit să se redreseze și să devină soț, tată și campion paralimpic la judo. E, de asemenea, cea mai pozitivă și mai optimistă persoană pe care o cunosc. E un lucru pe care îl admir nespus și care mă emoționează.

Dar cum să procedez? Era destul de simplu să fac rost de numărul lui Oleg, dar oare avea să-mi răspundă? Avea să-mi accepte propunerea? Era emisiunea mea de radio, la care făcusem până atunci un singur interviu, demnă să invite o persoană de calibrul lui? Un bărbat adevărat și un campion adevărat. Și hop și eu, cu emisiunea mea de radio, abia lansată. Dacă mă refuza, cum avea să-mi afecteze acest lucru părerea despre mine și despre noua mea inițiativă? Abia începusem și n-aveam pic de experiență în domeniul interviurilor. Oleg avea să mă trimită la plimbare, iar eu să dau un chix de zile mari. La dracu', n-am s-o fac!

Dar aveam o șansă. Întotdeauna mi-am folosit șansele, și așa trebuia să fac și acum.

Îmi asudau palmele și probabil că barmanul hotelului, aflat la nici douăzeci de metri de mine, îmi auzea bătăile inimii.

Trecuseră douăzeci de minute de când Vitali Gligor, antrenorul lui Oleg, avusese amabilitatea de a-mi da numărul lui Oleg, iar eu încă mai ezitam să-l sun.

Aveam mintea plină de îndoieli, frică să nu fiu refuzat și un zumzet puternic, sâcâitor.

E doar un telefon, n-o să se întâmple nimic, e doar un amărât de telefon!

Mă luptam cu mine însumi. Trebuia să-mi conving mintea de maimuță[2] că merit asta, că sunt pregătit, că o pot face și că, dacă spune nu, mai pot încerca și altădată.

„Minte de maimuță" e o expresie ce descrie momentul în care gândurile tale încep să o ia razna. E ceea ce se întâmplă când încerci să meditezi, să dormi sau să te concentrezi asupra unui lucru și te trezești invadat de diverse gânduri fără legătură, pe care nu le poți controla sau opri. Nu exista nimic concret, doar propriile mele gânduri, însă în sufletul meu avea loc o adevărată luptă.

Mi-am dat seama că eu sunt propriul meu dușman!

Trecuseră patruzeci de minute de când primisem numărul și nu vorbisem cu Oleg pentru simplul motiv că eram ocupat să mă lupt cu mine însumi. Nu exista nimic real, gândurile mele erau singurele care mă împiedicau să-l sun.

— Salut, Oleg, sunt Vadim Turic...

Mi-am folosit porecla de pe vremuri, și am început să-i explic cine sunt cu o voce grăbită, fără să-l las să răspundă.

— Da, știu, m-a întrerupt el. Cu ce te pot ajuta?

În mai puțin de un minut, a acceptat și am stabilit ziua și ora. *E, pur și simplu, incredibil! Mă simt de parc-aș fi câștigat la loterie! Fir-ar să fie, atâtea gânduri aiurea și nu trebuia decât să-l sun!*

Ce mi s-a întâmplat mie se întâmplă multor oameni. Îmi intrase *în cap* o idee. Și unii oameni nu se hotărăsc niciodată

---

2 În budismul zen, „minte de maimuță" e un termen folosit pentru o minte ce zboară de la un lucru la altul, ca o maimuță aflată mereu în mișcare, care are în permanență câte ceva de făcut.

să dea telefonul ăla, pentru că nu reușesc niciodată să-și convingă mintea de maimuță că sunt gata sau că merită să-și pună în practică *marea* idee. Acum trebuia să mă pregătesc pentru interviu. M-am uitat peste întrebările mele și nu mi s-au părut destul de bune. Marina (partenera mea de la Radio W.O.R.K.S. World) mi-a trimis un nou set de întrebări, mai bune decât ale mele, dar tot eram stresat.

A doua zi am luat avionul spre Spania, în interes de afaceri, și, în timp ce eram în avion, mi-a venit ideea asta: dacă îmi acopeream ochii și trăiam o zi întreagă cum trăia el, întrebările aveau să-mi vină de la sine. A fost un moment al revelației. Parcă aș fi câștigat potul cel mare, de un milion de dolari.

În avion, ideea a început să dospească, dar mi-a trezit o mie de alte întrebări și dialoguri cu mine însumi.

O să fie destul de ușor să-mi petrec o zi legat la ochi. Dar s-ar putea să nu fie destul ca să aflu care sunt cele mai ofertante întrebări pentru interviu, mai ales dacă ziua pe care o aleg e una de weekend.

OK, atunci o să fie două zile – una din weekend și una din timpul săptămânii. Asta ar trebui să mă ajute să fiu bine pregătit și să înțeleg, măcar cât de cât, cum e viața lui de zi cu zi.

M-am imaginat mergând cu ochii acoperiți cu ceva și pe cei din jur urmărindu-mă cu privirea. Unii s-ar gândi „Ce-i cu individul ăsta? Ce face cu chestia aia pe ochi?"

Aș atrage atenția. Atenția înseamnă interes. Și interesul în afaceri înseamnă oameni și oamenii sunt potențiali clienți, iar clienții înseamnă bani.

M-a năpădit un nou șir de gânduri. *OK, și aș putea să-mi fac reclamă la afacerea mea la radio sau, și mai bine, la emisiunea mea de radio. Sau, și mai bine, chiar la interviul ăsta.* Ce altceva mai puteam face? Puteam strânge niște bani pentru o cauză de binefacere. Dar ce cauză? Habar n-aveam cum se procedează. În mod sigur, dacă mi-aș pune o cutie de tablă de gât, n-aș avea cine știe ce succes. Însă există o groază de oameni care fac diverse lucruri pentru caritate. Cum o fac? Am hotărât să încep să mă documentez imediat ce am acces la wifi.

N-am stat în Spania decât vreo două zile; am fost foarte ocupat și n-am avut timp să mă gândesc sau să caut pe net în timpul zilei, așa că n-am reușit să mă apuc să citesc câte ceva decât seara, când m-am întors la hotel și wifi-ul lui. Am citit tot ce-am găsit despre cum se strâng bani pentru binefacere. Și, puțin înainte de ora 2 noaptea, am găsit o cauză de caritate serioasă și adecvată – strângere de fonduri pentru National Eye Research Centre[3].

Am pus cap la cap informațiile, plus o scurtă descriere a ideii mele, am virat drept garanție din partea mea o sumă de bani, în contul sumei pe care intenționam să o strâng, după care am distribuit postarea prietenilor mei de pe Facebook și m-am culcat.

Când m-am trezit dimineața, eram un pic șocat și simțeam cum mi se învârtește capul. *Fir-ar să fie, cum am să fac asta?* Aveam o afacere de gestionat. Aveam întâlniri programate. Cum aveam să ajung la ele dacă nu puteam

---

3   Centrul Național de Cercetare Oftalmologică.

conduce? Cine mi-ar putea conduce mașina și m-ar putea asista? Oare era posibil să găsesc pe cineva așa, din scurt?

Aveam prea multe de făcut în Spania și nu mă întorceam la Londra decât sâmbătă seara, așa că nu beneficiam deloc de timp să găsesc o soluție.

Ei bine, iată că întrebările pe care speram să le găsesc au început deja să apară.

Am tastat primele litere pentru a mă loga la contul de Facebook, gândindu-mă că poate ar fi bine să mai amân totul cu câteva zile.

Am ascultat recent un intervievator celebru, care spunea că înainte de orice interviu are o asemenea spaimă că speră că invitatul său o să sune și-o să refuze să vină, iar el nu va mai fi nevoit să facă interviul. Exact așa mă simțeam și eu în acel moment.

Dar, când m-am logat, am văzut că unii dintre prietenii mei donaseră deja bani și jumătate din suma pe care mi-o propusesem se adunase deja. Acum chiar că nu mai aveam cum să dau înapoi.

Tot ce reușisem să fac în timpul programului meu foarte plin din Spania era că-mi pusesem secretara să cumpere două tricouri albe, mari. Mă gândisem să scriu pe tricou linkul la pagina de donații, ca, în cazul că cineva vrea să contribuie, să poată poza linkul și s-o facă. Nu voiam să fac mare tamtam pe chestia asta, ci doar să ofer celor care se hotărăsc să ajute șansa de-a o face.

Acum mă gândeam cum mi-aș putea acoperi cu adevărat ochii, ca să fiu *sută la sută* orb vreme de patruzeci și opt de ore. În afară de-asta, începea să mă streseze și întrebarea cine o să mă poată asista. Nu știam pe nimeni care să fie disponibil. Toți erau la muncă, la școală, și tot așa. În ce Dumnezeu mă băgasem? Trebuia, măcar, să găsesc cu ce să-mi acopăr ochii. Prietenul meu Slavic avea o mască de meditație destul de bună, dar de obicei o folosea el și, în orice caz, aceasta lăsa totuși să treacă puțină lumină. Apoi mi-a venit o idee.

În clipa în care am aterizat în Londra, m-am grăbit să ajung în Soho. Nu mai alergasem niciodată să găsesc un sex shop! Când nu-l cauți, vezi câte un sex shop la fiecare colț din Soho, însă, firește, atunci când cauți ceva anume... Dar, după ce-am căutat cât am căutat, am găsit o mască de ochi adecvată. M-am gândit să-mi acopăr ochii și cu bandaj, ca să nu-i deschid cumva accidental.

Primul prieten pe care l-am rugat să mă asiste a trebuit să mă refuze pentru că avea planificat un zbor, iar ceilalți erau ocupați. După ce am stat și-am analizat, am hotărât că Alex, fiul meu, e cea mai bună variantă. Așa că am stabilit ca el să fie cel care mă ajută și l-am învoit o zi de la școală. Am hotărât, de asemenea, să facem un mic material video cu această experiență, care se poate găsi online, dacă dai căutare pe ConsciouslyBlind.

Deși am întâmpinat multe frustrări, venite din faptul că am rămas brusc fără multe pârghii de sprijin și confort, aceste două zile fără vedere mi-au dezvăluit ceva important – ceva ce mi-ar fi luat, poate, ani de zile să aflu sau să pricep.

De-a lungul anilor, am învățat multe lucruri, am observat atent multe persoane și am citit multe cărți. Și totul a fost extraordinar – dar a fost, mereu, vorba despre drumul, despre calea de urmat în viață. Și totuși, așa cum zice o vorbă înțeleaptă, „Sunt două momente importante în viața cuiva: cea în care te-ai născut și cea în care afli de ce".

Însă, oricât m-am străduit să-mi clădesc propriul „drum" prin studiu intens și dezvoltare personală, abia în timpul experimentului ConsciouslyBlind am ajuns, din întâmplare, chiar la destinație. Mi-am dat seama cât de frumoasă e lumea dacă, pur și simplu, taci și o asculți.

Când le răspund celor care mă ajută sau îmi pun întrebări, răspunsul meu se adresează, efectiv, sufletului lor – făcând abstracție de înfățișarea lor.

Fiece îmbucătură pe care o mestec e intens savurată de papilele gustative și de stomac. Aroma e copleșitoare. Fără toate amănuntele exterioare, care îți distrag atenția, e ca și cum aș gusta pentru prima oară. Mâncarea devine o experiență transcedentală, ca un ritual sau ca un gest captivant, făcut pe scena unui teatru al gustului.

Îmi pot imagina orice doresc despre lucrurile pe care le ating și le aud, fără constrângerile realității vizuale.

În starea mea actuală, constat că încrederea mea în oameni crește – și e incredibil cum se schimbă oamenii în bine atunci când simt că ai încredere în ei. Asta dă naștere unei vibrații extraordinare între tine și cel cu care interacționezi.

Și, cel mai important, cele patruzeci și opt de ore în care am mers legat la ochi, asistat de fiul meu de opt ani, a fost cel mai lung interval de timp neîntrerupt pe care l-am petrecut vreodată cu el. Această experiență, în care am fost privat de vedere, mi-a deschis ochii către ceva ce n-am mai văzut niciodată până acum. Am început să văd, cu adevărat! A fost uimitor pentru mine să-mi dau seama cât e de matur şi cât îi pasă de cei apropiaţi. Până atunci fusesem mult prea prins cu activităţile mele zilnice ca să observ cât e de inimos. Mi-am dat seama că, atunci când eşti prezent, conectat la aici şi acum, vezi că eşti înconjurat de cei mai buni oameni din lume.

E, de asemenea, o mare revelaţie să-ţi dai seama cât de puţin contăm de fapt pentru majoritatea celorlalţi şi cât de puţini sunt cei cărora le pasă de noi sau care se trezesc cu gândul la noi. E o fereastră către creativitate, curaj şi mari succese. Nu există spaima că ai putea arăta ridicol sau că ai putea greşi – şi tot ce e nou şi extraordinar se naşte din necunoscut, după nenumărate încercări, eşecuri şi greutăţi. Toate acestea au fost sintetizate în câteva cuvinte, adesea atribuite lui Gandhi:

La început or să ne ignore, apoi or să râdă de noi; apoi or să încerce să ni se opună, apoi o să ieşim câştigători.

Sau, altfel spus: *E incredibil câte poţi face dacă nu-ţi pasă cine îşi va asuma meritele.* Am citit-o undeva, am încercat-o şi funcţionează.

EMIGRAREA ÎNSEAMNĂ SCHIMBARE

Schimbarea e dificilă la început,
istovitoare în timp ce se petrece şi splendidă la final.
– Robin Sharma

Ei bine, indiferent ce se întâmplă, emigrarea e întotdeauna o opţiune. E o schimbare, din punctul în care eşti în cel în care doreşti să fii – de la o concepţie despre viaţă la alta şi dintr-un set de împrejurări într-altul. Dacă nu ești fericit cu viața ta – emigrează!

Suntem cu toții emigranți – schimbăm punctul geografic în care ne aflăm, ne schimbăm poziția socială sau concepția despre viață. Nu există oameni care nu „migrează", pentru că emigrarea e un proces al schimbării și al dezvoltării. Din păcate, adeseori oamenii au o atitudine greșită – mai ales în privința emigranților geografici.

Îți mai aduci aminte când te-ai dus prima oară la școală sau la grădiniță, când erai copil? Nu cunoșteai pe nimeni acolo și erai departe de părinții pe care-i iubeai. Ei bine, cam asta am simțit exact și atunci când am străbătut Europa, pentru a ajunge în Marea Britanie – în plus, nu știam nici una dintre limbile vorbite în țările din drumul meu și nu mă pricepeam la nimic în mod special.

M-am născut într-o țară ce făcea parte din URSS și care, la cinci ani dupa nașterea mea, a devenit Republica Moldova. Familia mea era modestă, din clasa de mijloc (dacă vorbim în termenii englezești uzuali) și locuiam într-un sat de mărime medie. Dimineața ne spălam pe față și seara pe picioare – dacă erau murdare. Era un lucru obișnuit să facem baie doar o dată pe săptămână. Nu aveam apă curentă, așa că părinții mei încălzeau niște apă și ne spălam cu rândul în aceeași cadă – de la cei mai mici la cei mai mari. Acum pare de neconceput, dar pe atunci era un lucru cât se poate de normal. Moldova e o țară minunată, cu tradiții străvechi. Oamenii ei sunt foarte prietenoși și fericiți. Avem mari scriitori și cântăreți de folk, care te impresionează până la lacrimi, celebrul dans numit horă și multe feluri de mâncare naționale delicioase. Avem unul dintre cele mai bune și mai roditoare soluri din Europa, ce produce fructe și legume cu un gust unic, de neconfundat. Vinurile sunt incredibile – cele mai bune pe care le-am băut vreodată. Și, având în vedere mărimea țării, realizările ei din domeniul sportiv sunt impresionante.

Și totuși, după ce și-a declarat independența față de Uniunea Sovietică în 1991, țara a fost puternic afectată de o serie de crize economice, în asemenea grad, încât, la sfârșitul anilor 1990, una din două familii avea pe cineva care muncea în străinătate: o mamă, un tată, un frate sau o soră. Oamenii își părăseau căminele, partenerii și copiii, lucru care adesea măcina legăturile de familie și avea drept rezultat divorțul și ruperea relațiilor cu copiii.

Evident, majoritatea oamenilor nu-și permiteau sau nu erau suficient de calificați profesional ca să plece, pur și simplu, și să lucreze în străinătate. Cei mai mulți nu reușeau să obțină o viză Schengen, așa că soluția era să obții viză de turist pentru o țară UE învecinată și să muncești ilegal, depășind perioada pentru care ai primit viză.

Și, dacă nu puteai obține viză, trebuia să încerci altfel. Calea cel mai des folosită era să traversezi, pur și simplu, granița spre o țară UE învecinată, de obicei pe jos, uneori ascuns într-un vagon de tren sau să treci un fluviu cu o barcă gonflabilă, evitând poliția de frontieră. Dar chiar și atunci când traversai granița și ajungeai în țara dorită, existau șanse mari să fii raportat de localnici la poliția de frontieră. În aceste zone, localnicii erau mereu vigilenți, atenți la „turiști ilegali" pe care îi puteau raporta, adesea în schimbul unei recompense.

Așa că trecerea graniței era doar primul pas. Exista, apoi, un mare risc să fii trimis înapoi în țara din care ai venit, dacă nu te mișcai destul de rapid și de prudent, sau nu aveai un plan destul de bine gândit.

Deși trecerea frontierei era o aventură extrem de stresantă și de plină de provocări, care adesea îți punea în pericol viața, o mulțime de oameni alegeau această cale, chiar și atunci când familiile lor rămâneau acasă. Străbăteau pădurile și câmpiile, în speranța că au nimerit direcția corectă, deseori fără a avea o rută clară sau a ști unde se află, îndurând foamea și secătuiți de puteri. Majoritatea acestor oameni făcuseră împrumuturi cu dobânzi uriașe la cămătari, așa că nu se puteau întoarce până nu făceau rost de bani să plătească dobânda.

Pe vremea aceea, exista credința că oricine își părăsește țara ca să trăiască oriunde în Europa va duce o viață minunată – va avea de lucru, nu se va mai lupta pentru supraviețuire, va avea tot ce-i trebuie. Ei bine, teoretic așa era, deși simțeai că prețul pe care îl plăteau pentru asta e mult prea mare și că, dacă te gândeai la calitatea vieții lor din afara orelor de muncă, toate aceste eforturi nu erau întrutotul justificate.

Închipuiți-vă că ați aterizat într-o țară necunoscută, fără să-i știți limba și fără să vorbiți vreo limbă străină. Faceți parte dintr-un grup de oameni care au supraviețuit în junglă. Aveți deosebite abilități de supraviețuire și navigație, știți limba păsărilor și a maimuțelor, dar nu vă pricepeți deloc la instalații sanitare, tranzacții pe piața Forex sau Excel. Și ajungeți cu toții într-un oraș imens, cu gândul de a vă găsi o locuință și o slujbă. În fiecare zi, există oameni aflați în această situație. Din fericire, majoritatea reușesc să găsească o soluție și îi auzi apoi povestind despre cum au învățat limba, au găsit de lucru și despre cum li se pare viața din noua lor țară.

Puternica dorință de supraviețuire te ajută
să depășești limite pe care nu le credeai posibile.

Dacă nu „mergeai pe jos" până într-o altă țară, existau și alte rute – mai ales dacă erai unul dintre acei oameni „norocoși" care-și permiteau să plătească. Era un lucru destul de obișnuit ca o organizație profesională, cum ar fi o echipă sportivă, să plece în străinătate, la un campionat, iar jumătate dintre membrii ei să nu aibă nici o legătură cu domeniul respectiv. Erau oameni care plătiseră să ajungă în străinătate, cu o viză de tranzit. Ba uneori se întâmpla ca întreaga echipă să nu aibă nici o legătură cu sportul. Destul de multe federații sportive și conducătorii lor abia reușeau să-și ducă zilele cu ajutorul acestui trafic de persoane. La începutul anilor 2000, practicam judo și eram destul de sigur că orice sprijin financiar primeam venea tot din această sursă.

Însă, fiind vorba de un context de împrejurări neprielnic, am simțit că nu e un lucru imoral. Era ca în toate acele momente din istorie, când anumite activități inumane erau considerate normale – acelea erau, pur și simplu, realitățile țării cu pricina în perioada respectivă. Întregul aranjament era reciproc avantajos pentru toți cei implicați: cei care plăteau pentru a se da drept sportivi primeau șansa de a ajunge în străinătate, la o viață mai bună, iar organizatorii și sportivii adevărați aveau deopotrivă șansa de a-și demonstra talentul și de a face rost de fonduri din alte surse, cele guvernamentale fiind insuficiente.

De asemenea, se întâmpla frecvent ca sportivii reali să plece la o competiție peste hotare, după care să-și abandoneze echipa și să se stabilească în străinătate, iar țara lor să piardă și mai mulți oameni talentați. În perioada în care am făcut sport, am aflat despre mulți compatrioți de-ai mei deveniți antrenori, adeseori cu mare succes, în aproape toate țările din UE.

Așa cum se întâmplă în natură și în evoluție, piața se creează singură, căpătând diverse forme. Din cauza faptului că nu știau limba locală și nu aveau cunoștințele necesare, mulți s-au trezit că lista slujbelor pe care le puteau îndeplini în străinătate era destul de redusă. În locul din care veneam, „noi" nu fuseserăm învățați să facem lucrurile pe care știau să le facă cei din altă țară. (În URSS, oamenii erau pregătiți pentru slujbe care, în marea lor majoritate, nici măcar nu existau în UE.)

Nu trăim ca să gândim – gândim ca să putem supraviețui cu succes.

Și, odată ajunși în altă țară, aproape toată lumea, indiferent de slujba sa de peste zi (sau noapte), șterpelea mâncare și articole de uz casnic din magazine sau fura din locurile publice, toalete sau biblioteci – orice lucru nepăzit era sustras fără pic de remușcare. S-ar putea spune că erau o specie de paraziți lipsiți de orice sentimente umane, însă teoria mea e că am crescut într-o societate comunistă în care nici un lucru nu aparținea unei anumite persoane, și puteai lua orice doreai, pentru că totul era proprietate comună. De la o vârstă fragedă, veneam acasă cu fructe și legume de pe terenurile ce aparțineau unui colhoz (cooperativă agricolă colectivă, din epoca sovietică). Pe de altă parte, toată lumea, inclusiv copiii, se duceau și munceau pentru aceeași cooperativă gratis, în timpul recoltei.

„Auto-servirea cu bunuri disponibile" fiind destul de răspândită în străinătate, și aici existând mai multe bunuri „disponibile" decât aveai nevoie personal, în aceste țări a apărut o piață neagră, în care lumea cumpăra și vindea surplusul de bunuri la jumătate de preț. Unii plecau în străinătate doar în acest scop – să stea puțin timp, să „înșface tot ce pot" și, la întoarcere, să scoată un profit substanțial. Fiind ușor de vândut, indiferent de cantitate, cele mai obișnuite produse au devenit mărfuri, și exista cerere permanentă pentru ele: motociclete, radiouri de mașină, țigări, lame de ras, baterii, haine de designer, mașini, motoare de bărci, bijuterii.

De obicei, după puțin timp, majoritatea oamenilor se integrau în noua comunitate, își găseau un job și nu mai furau niciodată. Alții, însă, se învățau minte doar după ce ajungeau în pușcărie.

PRIMUL PAS – IMAGINEAZĂ-ȚI VIITORUL ȘI IA O DECIZIE

Nu-ți mai căuta fericirea în locul în care ai pierdut-o.

Îmi amintesc adesea o zi din august 2003. Aveam nouăsprezece ani și stăteam pe o bancă, lângă monumentul poetului bulgar naționalist Hristo Botev și mă uitam la vechea mea școală, Liceul-internat republican cu profil sportiv, cunoscut ca LIRPS. Îl terminasem cu un an în urmă, după care mă înscrisesem la facultatea de arhitectură din cadrul

Universității Tehnice din Moldova, însă nu mă dusesem la cursuri decât o singură dată. Nu mă înscrisesem pentru că îmi doream cu ardoare să devin arhitect, deși desenul era hobby-ul meu, ci în primul rând pentru că era ușor să intru – nu se dădea examen de admitere. Și aveau nevoie de cineva care să-i reprezinte ca sportiv.

În orice caz, nu se prea schimbase nimic de când terminasem LIRPS-ul. Continuam să mă antrenez, de două ori pe zi, șase zile pe săptămână. Mă simțeam ca și cum aș fi continuat să fiu elev la LIRPS, și eram supărat pe mine că încă mai sunt aici. Îmi aminteam cum râdeam de cei câțiva tipi care încă locuiau la cămin și mâncau la cantină – și acum eram și eu unul dintre ei.

Deși obținusem performanțe importante în judo și eram un sportiv apreciat, în cea mai mare parte a timpului eram lefter. N-aveam nici bani de bilet de autobuz și mereu făceam foamea, neavând parte de un regim adecvat, și eram în stare să mănânc absolut orice – doar comestibil să fie. Adevărul era că nu aveam nici o perspectivă, nici un țel de atins. Simțeam că mi-am atins deja scopul și nu vedeam nimic care să mă motiveze să mă forțez mai tare.

Nu câștigam nimic din sport, dar știam că nu-mi doresc viața pe care o trăisem alături de părinții mei. Știam că trebuie să existe ceva mai bun. Stând pe bancă, mă gândeam încotro mă îndrept și unde am să fiu și cum am să trăiesc peste un an – după fix un an, la aceeași oră. Aveam o dorință puternică de schimbare. Din cauza carierei mele sportive, părea că nu există nici o altă opțiune, însă dorința mea era uriașă.

M-am gândit la foștii absolvenți de LIRPS despre care auzisem că s-ar afla în diverse închisori din Europa pentru

furt. Inițial, plecaseră la competiții, după care se despărți-
seră de echipă și fugiseră, pentru a nu se mai întoarce în
Moldova, preferând să rămână acolo unde credeau că îi
așteaptă „șansa la o viață mai bună". Auzisem că închisorile
sunt incredibile – mâncare bună, televizor și mers zilnic la
sală. *Fir-ar să fie, sună mai bine decât viața mea de acum!*
m-am gândit. *Sună perfect.* Părea o opțiune demnă de luat
în seamă. N-avea să fie prea greu să ajung în închisoare,
dacă reușesc cumva să ajung în Europa.

Stăteam așa, pe bancă, mă uitam în jos la vechii mei șlapi
și-mi părea rău de mine, însă dorința de schimbare îmi făcea
inima să-mi bată ca o tobă. Era atât de puternică încât o sim-
țeam în piept și mi-am promis că viața asta de acum nu mai
poate continua. Mă gândisem de multe ori la asta în ultimele
cinci luni, dar de data asta totul era extrem de intens. Știți
cum e, când ai un vis și totul ți se pare real, cu toate detaliile
vizuale și senzațiile palpabile? Așa mă simțeam.

Din clipa aia, am început să-mi urăsc fiecare detaliu și
activitate din viața mea.

Spaima că n-o să am niciodată șansa de a-mi schimba viața
în bine – asta era spaima ce mi se cuibărise adânc în suflet.
Mi-am dat seama că această spaimă e, de fapt, ceea ce mă
poate îmboldi și motiva să acționez, în ciuda tuturor obstaco-
lelor, și ceea ce mă va ajuta să aleg oamenii cu care vreau să fiu
și să fiu eu cel care controlează alegerile pe care am să le fac.

Viața nu ți se îmbunătățește prin voia sorții,
ci prin schimbare.

— Jim Rohn

Dacă ai senzația că ești prizonier al vieții tale și simți că o afacere, munca ta, o prietenie sau o relație te seacă de puteri, e momentul să faci o schimbare.

În timpul redactării acestei cărți, mi-am început emisiunea de radio, *Emisiunea emigrantului inteligent*, la Radio W.O.R.K.S. World. De la o vreme, începusem să fiu cam nemulțumit de felul în care se desfășoară viața mea zilnică și aveam nevoie de o schimbare. E o vorbă, că atragi lucrurile la care te gândești. Eu cred că, pur și simplu, odată ce zărești oportunitatea, începi să vezi lucrurile diferit – e ca atunci când îți cumperi o mașină nouă și, brusc, începi să observi pe stradă mai multe mașini ca a ta. Așa că am profitat de șansa de a modera o emisiune radio chiar în clipa în care mi-a fost oferită – fără să mă gândesc dacă am experiența sau calitățile necesare sau nu. Și adevărul e că nu sunt bun deloc – îmi puteți asculta interviurile, eu, unul nu suport să-mi aud vocea –, dar sunt sigur că, fără să exersez, n-am să devin niciodată mai bun și că, dacă nu riști să faci o schimbare, nimic nu se schimbă.

Sugestii de lectură: *Vagabonding*[4], Rolf Potts; *Săptămâna de lucru de 4 ore*, Timothy Ferriss; *Cine mi-a luat cașcavalul?*, Spencer Johnson; *Aisbergul nostru se topește*, Holger Rathgeber și John Kotter; *Punctul critic*, Malcolm Gladwell.

---

4   Hoinar prin lumea largă.

2

IDENTITATE

T U EŞTI CREATORUL identității tale. Nimeni altci-
neva în afară de tine nu ți-o poate crea. E vorba
de alegerile pe care le facem – noi suntem cei care
trebuie să alegem. Indiferent de unde vii, ceea ce contează e
unde vrei *să fii*.

Nu poți controla nimic în viață și cel mai bine e să te lași
în voia curentului și să permiți lucrurilor să se petreacă. Fii
deschis la ideea că împrejurările se pot schimba și folosește
oportunitățile pe care ți le aduc aceste împrejurări – ceea ce
se petrece poate fi mai bun decât planul tău inițial. Singurul
lucru pe care îl poți controla e modul în care reacționezi.

DE CE EŞTI CINE EŞTI

Broasca e verde fiindcă trăiește într-o apă verzuie sau apa e
verde fiindcă trăiesc broaște în ea?

Broaștele verzi s-au camuflat mai bine în peisaj, ferin-
du-se de animalele de pradă, mai bine decât cele în culori

mai vizibile. E un fapt dovedit că un număr uriaş de evoluţii şi mutaţii ale plantelor şi animalelor au avut loc chiar în faţa ochilor noştri, în doar ultimele decenii. A fost fie un efect al schimbărilor climatice şi de ecosistem, fie un efect al activităţii umane. Un exemplu evident e cel al şoarecelui care s-a descoperit recent că a devenit imun la otrava obişnuită împotriva rozătoarelor.

Schimbările şi mediul ne afectează şi pe noi, oamenii. Caracterele noastre, fizicul şi abilităţile noastre se adaptează şi ele la mediul în care am crescut şi în care trăim, dar şi la oamenii din jurul nostru.

Teoria mea e că, în general, toţi oamenii sunt buni. Când e mic, copilul e fericit şi pus pe joacă şi e învăţat să-i respecte pe cei din jurul lui. În afara cazurilor rare de medii extreme, toţi oamenii sunt educaţi conform aceloraşi principii şi aceleiaşi filozofii. Însă mediul, persoanele care îi influenţează şi, mai târziu, circumstanţele, îi schimbă în timp ce ei se adaptează acestor împrejurări şi îşi doresc să supravieţuiască şi să aibă succes în condiţiile date. Vă amintiţi povestea lui Mowgli din *Cartea junglei*? (Şi există cazuri concrete de oameni care au supravieţuit şi au trăit în sălbăticie, fără să se transforme în nişte monştri.) Spre deosebire de natura necruţătoare, dacă oamenii sunt dispuşi să încerce să se adapteze noilor împrejurări şi să supravieţuiască, ba chiar să prospere, atunci, cred eu, vor fi total de acord să se adapteze *oricărui* proces de schimbare.

Într-o lume în care te simţi confortabil, nu există nici o şansă de schimbare, aşa că e nevoie de o dorinţă de a ieşi din zona de confort, care să aducă schimbarea şi noi oportunităţi. Dacă vrei să-ţi schimbi viaţa în bine trebuie să-ţi doreşti să nu te afli în elementul tău – eu numesc asta uneori „să te simți inconfortabil cu înverșunare". Și fiecare persoană sau loc pe lângă care treci îți poate aduce o oportunitate. Cu toate știrile pe care le citești și le auzi, și în tot ceea ce spui, de unde știi care e calea corectă, sau cea care te va duce la rezultatul dorit? Ei bine, am fi extrem de plictisiți dacă am ști toate răspunsurile tot timpul – pur și simplu, nu putem trăi fără surprize! Așa că urmăm metoda obișnuită, cea empirică, învățând din greșeli. Ea ne va aduce, firește, atât mari succese cât și greșeli uriașe – se numește evoluție... se numește natură. Dacă te gândești la spermatozoidul care s-a luptat să ajungă la uter, ce șansă exista ca *tu* să te naști?

Faptul că te-ai născut e deja un miracol!

Instinctul de supraviețuire e atât de puternic încât modelează totul și face minuni. Imaginați-vă cum ar fi să fiți sub apă, fără să puteți respira. Rezervele de oxigen ți se termină și contracțiile tale musculare devin tot mai puternice, cu frecvența tot mai mare.... și, în sfârșit, reușești să te eliberezi și să scoți capul deasupra apei pentru a lua acea gură de aer adâncă și critică, de care ai nevoie mai mult decât de orice. La genul ăsta de dorință mă refer.

Ceea ce suntem e un rezultat al împrejurărilor din trecutul nostru, însă viitorul depinde de alegerile noastre.

La mijlocul anilor 1990, când eram copil, mă uitam cu admirație ori de câte ori ne vedeam marii campioni – mândri și glorioși în timp ce ne ridicau steagurile naționale în diverse puncte de pe glob, etalându-și rezultatul unei munci

de-o viață și realizările. Părea că nimic n-o să le stea în cale
și că au întreaga lume la picioarele lor. Aceste momente mă
animau întotdeauna, trezindu-mi dorința de a atinge și eu
succesul și motivația de a obține rezultate.

Copil fiind, ca un cățel flămând, fără stăpân, care sare la
o bucată de carne ce-i e aruncată, absorbeam ca un burete
toate tehnicile de judo pe care mi le arăta antrenorul. Eram
atât de atent, că adesea eram în stare să reproduc exact
tehnica respectivă după ce vedeam demonstrația. La mine
în sat nu existau săli de sport, dar auzisem că Teodor, un
bun prieten de-al meu, avea de gând să urmeze lecții de judo
într-un oraș din apropiere. Îmi doream și eu cu ardoare să
merg, dar n-aveam bani, așa că el s-a oferit să mă lase să vin
cu el gratis. Cum? Ei bine, aveam un plan.

Teodor, unul dintre cei doi cei mai buni prieteni ai mei,
era fiul preotului din sat. Stătea chiar în casa de alături,
așa că, deși la școală eram în clase diferite, ne întâlneam
și ne vedeam zilnic prin gardul de sârmă ghimpată. Fiind
fiul preotului din sat, primea majoritatea lucrurilor gratis,
inclusiv lecții de judo, așa că am stabilit să mă prezinte drept
fratele lui (mă rog, la ora respectivă chiar semănam vag), ca
să intru și eu gratuit. Deși aveam de mers pe jos cam două
ore, era o zi frumoasă și caldă de vară. Ne-am oprit să îno-
tăm puțin în lacul pe lângă care am trecut și, când am ajuns
la primul curs, m-am îndrăgostit pe loc de judo.

La scurt timp după asta, Ariel, al treilea membru al trio-
ului nostru, ni s-a alăturat și el la curs. Era o experiență care
ne plăcea tuturor, iar faptul că învățam arte marțiale ne făcea
să ne simțim puternici și viguroși. Ne unea un sentiment de
siguranță și încredere, ce ne întărea caracterul.

La sfârșitul verii, Teodor a încetat să mai vină cu noi. Doar Ariel și cu mine am continuat să ne ducem la cursurile de judo împreună, pe zăpadă, frig sau ploaie, deși atunci aveam doar unsprezece ani. Poate din cauza puternicei mele dorințe și sete de a face lucruri mărețe, după un singur an atinsesem nivelul pe care alții îl atinseseră în trei. Mă băteam cu tipi care se antrenau de ani de zile la club.

— Vadim, trebuie să te înscrii la LIRPS anul ăsta, mi-a zis antrenorul de judo, Filip Batir, a cărui respirație duhnea, ca de obicei, a alcool. E cea mai bună școală sportivă din țară. Majoritatea participanților la Olimpiadă au absolvit-o și acolo e locul tău. Doar acolo poți crește și mai mult. Examenul de admitere e foarte dur, dar sunt sigur că, dacă te pregătești bine, o să intri.

A fost unul dintre cele mai extraordinare lucruri pe care le auzisem vreodată. Liceul respectiv putea fi ușa prin care să intru în lumea la care tânjeam, și în care îmi puteam împlini speranțele și dorințele.

Până atunci, sperasem că preotul din sat o să mă ajute să intru la o școală teologică din România, sau poate la un liceu de artă – desenam întruna sfinții sau biserica locală așezat pe acoperișul casei noastre, ca să am o vedere mai bună. M-am gândit că arta sau teologia ar putea fi calea prin care să scap de aici, dar nu mi-era clar când anume și cum. Însă acum, șansa de a studia judo-ul la cea mai bună școală din țară se afla chiar în fața mea, și gândul ăsta îmi făcea inima să-mi bată fericită.

UN LEAC CIUDAT – GÂNDURILE CREEAZĂ REALITATEA ŞI CLĂDESC CARACTERUL

Tatăl meu era un mare împătimit al sportului şi spunea mereu că trebuie să mănânci bine şi să faci mişcare. Practica luptele greco-romane şi îşi făcuse singur nişte greutăţi pe care să le ridice, dar totul era la nivel de amatori. Acum, fiul său avea ocazia de a intra în arena sportului profesionist, iar asta îl făcuse foarte fericit; mă sprijinea sută la sută în pregătirea pentru înscriere şi pentru examene.

Examenele se dădeau în august şi mai aveam încă două luni în care să mă pregătesc, aşa că în fiecare dimineaţă alergam cam o oră. Apoi, seara, făceam tracţiuni la bara de pe terenul şcolii şi, uneori, mai făceam o tură de alergare. M-am gândit că toate astea or să fie suficiente pentru examen, mai ales că la noi în sat nu mai era nimeni care să se antreneze cât mine.

La vreo oră şi jumătate de sat, se afla un bazin de ciment plin cu apă pentru irigaţii. Noi, copiii din sat, îi spuneam „la baltă", şi ne adunam acolo ca să ne jucăm şi să înotăm printre broaştele şi şerpii ce locuiau în apa respectivă. Dar într-o după-masă, am sărit aiurea în bazin, călcâiele mele au atins colţul acestuia şi mi s-au despicat. Nu sângele şi durerea m-au supărat atât de rău, cât gândul că aş putea rata examenul de admitere. Dacă afla tata, avea să se înfurie şi el, şi aveam să am şi mai multe necazuri!

Însă eram obişnuit să mă tai la picioare când înotam şi mă jucam în lacurile din zonă (îmi petreceam cel puţin o treime din vară în diverse bălţi, atât de mult îmi plăceau apa şi înotul), în care, din păcate, lumea arunca sticle şi borcane de sticlă sparte. Apa era verde sau neagră, aşa că n-aveai nici o şansă să vezi pe unde păşeşti sau aterizezi. În orice caz, mi-am găsit singur un remediu care făcea minuni. Ori de câte ori mă tăiam, îmi puneam talpa goală pe praful drumului (drumurile nu erau asfaltate), care acoperea tăietura şi oprea sângerarea. Repetam procedura şi, la ora când ajungeam acasă, seara târziu, rana mea era aproape vindecată şi durerea dispăruse. La sfârşitul celei de-a doua zile, tăietura era vindecată.

A trebuit să-l asigur pe tata că rănile or să fie vindecate până la examen şi că nu mă mai dor, deşi nu era chiar adevărat. În ciuda vagii dureri din timpul examenului, am reuşit să fac faţă, dar a trebuit să aştept două săptămâni rezultatele. Eram foarte încrezător, pentru că la toate examenele de până atunci mă aflasem printre primii cinci. Contam, de asemenea, pe faptul că numele antrenorului meu mai înseamnă ceva aici, pentru că pe vremuri lucrase cu antrenorul principal de la LIRPS.

INFLUENŢĂ TIMPURIE – MENTOR PUTERNIC

Am fost admis la examen şi m-am înscris la LIRPS. Aici l-am cunoscut pe cel care avea să aibă o mare influenţă asupra vieţii mele – pe antrenorul meu, Vasile Luca. Făcuse războiul şi ne-a povestit despre armata nazistă, pe care şi-o amintea bine. Încă îmi aduc aminte când ne-a povestit despre perioada foametei şi despre cum el şi familia lui au fost nevoiţi să mănânce chestii cum ar fi iarba, sau să adune miezul lipicios al tulpinilor de floarea soarelui, pe care să-l amestece cu talaş şi apoi să-l mănânce ca pe pâine.

Domnul Luca era unul dintre cei mai vechi antrenori de la LIRPS și un personaj fascinant, ca ființă, antrenor și sportiv. Era maestru în patru discipline sportive diferite: haltere, lupte greco-romane, judo și sambo (un fel de lupte greco-romane rusești, destul de asemănătoare cu judo-ul). El i-a instruit sau i-a antrenat pe majoritatea antrenorilor de judo din țară și era cunoscut de o mulțime de oameni. A antrenat, de asemenea, generații întregi de sportivi. An după an, vedeai reapărând aceleași nume de familie, pentru că părinții care se antrenaseră cu el își aduceau acum copiii, știind cum le-a schimbat lor viețile în bine. Iar majoritatea medaliilor internaționale la judo câștigate pentru țară erau obținute de sportivi influențați de el.

Era, de asemenea, omul cel mai dur și-ți dădea un șut în fund de nu te vedeai dacă avea un motiv serios, ceea ce ne-a învățat multe despre caracter și atitudine. Știa cum să scoată tot ce e mai bun din tine, și, atunci când te antrena el, dădeai mai mult decât te-ai fi crezut în stare să dai. Deși avea casă în oraș, unde stăteau fiul, fiica și soția lui, el locuia în secția de judo a bazei sportive de la LIRPS. Copiii lui lucrau tot aici. Își vedea nevasta odată la nu știu cât timp, când ea venea în vizită la el. Era un bărbat foarte puternic și în formă fizică perfectă, și chiar și la șaizeci și șapte de ani a câștigat un concurs național de lupte greco-romane – împotriva unor tipi mult mai tineri.

Deși era recunoscut pentru severitate și temele pe care le dădea, care puteau părea niște pedepse, mulți puști au fost total transformați sub influența lui, din copii fragili în bărbați adevărați, cu caractere de oțel. Vasile Luca rămâne o legendă pentru duritatea și consecvența lui. Mulți îi recunosc meritul în formarea lor – inclusiv eu.

PRIMII PAȘI PE PĂMÂNT ENGLEZESC – DECIZII CE MODELEAZĂ CARACTERUL ȘI CLĂDESC VIITORUL

În primele zile de după ce am ajuns, în sfârșit, la Londra, în timp ce fratele meu mai mare, Alex, dădea telefoane ca să-mi găsească de lucru, am auzit de o competiție de judo și m-am hotărât să mă duc s-o văd. Am fost extrem de fericit să-i întâlnesc acolo pe vechii mei prieteni de la LIRPS, Serghei și Arthur. Ei mi-au spus că ar exista o slujbă la o fabrică pentru mine, dar va trebui să-mi fac pașaport italian, în baza căruia am să obțin permis de muncă. Am făcut rost rapid de pașaport și la scurt timp am plecat de la fratele meu și m-am dus la Northampton, unde locuiau prietenii mei.

Acolo, am început să lucrăm la o fabrică ce producea echipament sportiv. Țineam banii la comun și ne-am cumpărat o mașină, ca să putem merge cu ea la muncă. Însă nici unul dintre noi nu știa să conducă, așa că a trebuit să hotărâm cine va fi șoferul. Nu se punea problema de acte sau permis de conducere, pentru că nici unul dintre noi nu avea documente de identitate autentice. Aveam nouăsprezece ani și credeam că putem face orice vrem. Tata avea mașină și stătusem de două ori la volan în toată viața mea – câte vreo zece minute. Și totuși, eram cel mai calificat dintre noi trei, așa că am hotărât ca eu să fiu șoferul.

Am condus prin traficul orașului, asudând la greu și adesea doar cu viteza întâi! Eu răsuceam volanul și schimbam vitezele, Arthur se uita la bord și încerca să priceapă ce indică, în vreme ce Serghei se uita în spate, gata să tragă frâna de mână – în eventualitatea că mașina ar fi luat-o în spate la semafor sau ne-am fi îndreptat cu viteză spre un copac în timp ce ne uitam încotro să virăm, pentru că nu prea cunoșteam orașul. Dumnezeu știe cum am reușit să nu facem accident mortal sau să fim arestați de poliție fiindcă nu aveam permis de conducere, și nici acte pentru mașină.

Pentru că trebuia să-i dau fratelui meu înapoi banii pe care mi-i împrumutase, am început, împreună cu prietenii mei, să lucrez la două slujbe: una de douăsprezece ore, care începea la ora 6 seara și se termina la ora 6 dimineața, într-o fabrică în care împachetam cutii cu jucării; și, când ne terminam jobul de noapte, făceam patruzeci și cinci de minute pe drum până la un șantier de construcții, unde mai lucram alte nouă ore. După ce terminam munca de pe șantier, făceam alte patruzeci și cinci de minute pe drum spre jobul de noapte și mai aveam o jumătate de oră în care să ne spălăm, ceea ce făceam de vreo câteva ori pe săptămână, ca să nu pierdem timpul. Calitatea muncii noastre a început rapid să lase de dorit, din cauză că eram nedormiți și obosiți. Dormeam peste tot, dar eram fericit că am reușit să-mi plătesc datoria.

După ce m-am obișnuit cu viața și munca în Northampton, mi-am plătit datoriile și am putut să renunț la turele duble de muncă și să-mi revin. M-am odihnit bine câteva zile, după care, cu ajutorul a doi prieteni apropiați, mi-am găsit de lucru la o fabrică mult mai bună. Pașaportul italian nu avea să fie acceptat la noua fabrică, așa că am reușit să-mi cumpăr un pașaport adecvat – e amuzant cum încep să apară produsele imediat ce piața o cere. Când duci o viață de cetățean normal, nu vezi lucrurile pe care le poți vedea din clipa în care intri în lumea dubioasă a imigranților ilegali.

În cele din urmă, am primit slujba, și era nemaipomenită. Eram ocupat și folositor, și prietenii mei se aflau și ei lângă mine. Când ne întorceam acasă de la muncă, beam câteva beri și discutam, la un grătar în aer liber. Ce viață frumoasă era! Până într-o zi, când am auzit că o să ni se verifice numerele de la asigurările sociale. La început, le dădusem celor de la fabrică niște numere temporare, gândindu-ne că după interviu n-o să ne mai întrebe de ele, pentru că nu erau verificați de autoritățile statului. De data asta, însă, aveau să fie verificate așa cum trebuie.

M-am hotărât să mă duc la Șomaj și să încerc să fac rost de un număr de asigurări sociale valabil. Toată lumea m-a sfătuit să n-o fac, zicând c-o să fiu arestat pentru utilizare de documente false, dar eu auzisem că o persoană reușise cu un pașaport foarte asemănător cu al meu. Am hotărât să nu iau în seamă avertismentele și m-am dus. Așa am fost arestat prima oară și am ajuns în închisoare.

Din fericire, trei luni mai târziu am fost eliberat pe cauțiune și a trebuit să mă duc la un birou special în fiecare săptămână și să dau o semnătură, ca ei să mă poată ține sub supraveghere până se hotărau ce e de făcut cu mine. Auzisem că unii primiseră documente și locuință după ce semnaseră ca mine săptămânal în registru, dar pe urmă am auzit de un tip care fusese arestat și deportat. Am decis să nu risc și am plecat la Londra, ca să fiu cu fratele meu și prietenii mei de la LIRPS. M-am gândit că va fi mai puțin riscant dacă fac rost de un pașaport nou și o iau de la început.

La Londra, am încercat să-mi caut de lucru, dar, fiind convins că acum puteam fi arestat în două secunde pentru că lucram ilegal, mi-am dat seama că există metode mai bune şi mai uşoare de a face bani. Eram o echipă nemaipomenită. Stăteam cam zece inşi într-o casă din estul Londrei, toţi foşti sportivi, specializaţi în judo sau lupte greco-romane. Era distractiv şi, în curând, eu am devenit persoana la care veneau toţi cei care aveau nevoie de paşapoarte sau permise de conducere. Aveam zeci de clienţi pe zi şi făceam sute de documente false. La scurt timp, m-am lansat, împreună cu Maria, o prietenă de-a mea, în modă, în „domeniul blugilor". Era o fată ageră şi isteaţă, care învăţase de la un român cum să facă buzunare mari, cu multe straturi de foiţă de aluminiu, cu care să-şi căptuşească o geantă de piele. Asta ne permitea să băgăm în geantă haine cu etichete, fără ca alarma de la ieşirea din magazin să pornească la ieşire.

Ne-am cumpărat o Honda Civic veche şi am început să mergem cu ea la diverse mall-uri din ţară. Nevrând să fim recunoscuţi, foloseam diverse tehnici: evitam să ne uităm în ochii vânzătorilor cât eram în magazin; nu treceam pe la un magazin decât o dată la două luni; şi luam doar articolele cele mai scumpe. Seara, vindeam totul la jumătate de preţ, şi făceam cel puţin 200 de lire pe zi. Ne duceam în diverse oraşe din ţară, vânzând marfa furată moldovenilor, românilor, ucrainienilor şi ruşilor. Cred că am fost la aproape toate mall-urile din Anglia.

Maria şi cu mine făceam o echipă foarte bună – eu mergeam la raionul de bărbaţi, ea la cel de femei, şi foloseam o tactică specială pentru a trage în piept personalul – însă, până la urmă, am fost prinşi, la un mall din Sheffield. Am crezut c-o să fiu trimis iar în închisoare. La ora aceea o întâlnisem deja pe Margareta – cea care îmi e acum soţie. Aveam planuri mari legate de ea, deşi ea habar nu avea, dar îmi plăcea atât de mult de ea încât, atunci când ne-au dat drumul, am știut că trebuie să renunț definitiv la activitatea infracțională.

Același gând, de a mă desprinde complet de lumea infracționalității, m-a condus, câteva luni mai târziu, la un aeroport scoțian, în ideea de a da o ultimă lovitură, dar una atât de bănoasă, încât să pot apoi renunța. Era o schemă de escrocherie financiară planificată împreună cu un tip din Nigeria pe care îl cunoscusem în timp ce căutam o cale de a face mai mulți bani. Planul era să mă duc la un anume ghișeu de schimb valutar dintr-un anume aeroport, să-mi arăt pașaportul și să cer o anume sumă, care avea să mă aștepe acolo. Banii erau probabil sustrași ilegal din contul cuiva și trimiși într-un cont pe numele altcuiva, ca un simplu transfer bancar. Dacă ridicam suma respectivă, aveam s-o împart fifty-fifty cu „contractorul". Suma urma să fie de fiecare dată 3000 de lire și aveam de gând să repet operațiunea de câteva ori în timp ce mă aflam în Scoția. Aceasta era prima oară.

De ce mă băgasem în chestia asta? Ei bine, mă aflam într-o perioadă a vieții mele în care povestea piratului Henry Avery îmi mergea drept la inimă, dar am să ajung și aici. Lucram la o fabrică, unde primeam doar 250 de lire pe săptămână, când mi s-a cerut să-mi dau numărul de asigurări sociale (așa-numitul NIN, cum e cunoscut în limbajul reglementărilor din domeniul forței de muncă), dacă vreau să continui să lucrez acolo. Era cea mai bună slujbă pe care o avusesem până atunci și voiam s-o păstrez. Știind că pașaportul meu e fals, am hotărât să încerc, totuși – cu speranța că autoritățile nu se vor prinde.

Am fost arestat la oficiul forţelor de muncă şi închis pentru trei luni.

După cele trei luni, am fost eliberat pe cauţiune şi a trebuit să raportez săptămânal autorităţilor tot ce fac, în timp ce aşteptam să fiu deportat, imediat ce erau gata toate documentele.

Să fiu trimis înapoi în ţara mea, la vechea mea viaţă, ar fi fost în acel moment asemănător cu sinuciderea (având în vedere cât de greu îmi fusese să ajung aici şi datoria pe care trebuia s-o returnez), aşa că m-am hotărât să mă mut la Londra, să dispar în mulţime şi să găsesc ceva de făcut.

Acum, la orice intersectare a mea cu autorităţile sau incident în urma căruia să mi se ia amprentele riscam să fiu din nou arestat şi să fiu închis iar – de data asta, ispăşind o pedeapsă dublă. Dublă fiindcă eram imigrant ilegal şi, după ce mă eliberasem, nu mă prezentasem regulat la biroul ofiţerului ce se ocupa de cazul meu.

Am început să lucrez pe un şantier de construcţii prin intermediul prietenului meu Mihail, care mi-a găsit o slujbă alături de el. Însă apoi a apărut ocazia de a câştiga mai mult, prin activităţi frauduloase. Nu mi-a trebuit mult timp să iau decizia – riscul de a fi arestat muncind pe şantier sau în cadrul noii mele ocupaţii era acelaşi. Eram în afara legii în ambele situaţii, aşa că am optat pentru cea care îmi aducea mai mulţi bani.

Atunci mi-am amintit de povestea lui Henry Avery. În *Republica piraţilor*, Colin Woodard povesteşte cum primul pirat pomenit în cronicile vremii a eşuat în jurul anului 1694 cu nava lui în Spania, abandonat de ţara lui şi la dispoziţia regelui, „să-i plătească sau să-i spânzure, după cum pofteşte".

Avery a rătăcit pe străzile din Coruna, strângând oameni de pe alte vase englezești din port, pentru a-și găsi o echipă și o cale de-a scăpa și de-a se întoarce cu toții la nevestele și copiii lor. La început, au prădat alte corăbii pentru a aduna suficiente provizii și a face rost de o ambarcațiune cu care să ajungă acasă. După câteva asemenea atacuri și după ce au adunat prăzi bogate, și-au dat seama că ar putea să profite de situație. Echipajul a crescut, a devenit mai puternic și mai flămând și s-a transformat în ceea ce numim astăzi pirați. Iata cum se transformă o persoană aflată la ananghie, fără nici o altă opțiune posibilă decât cea de a deveni un rebel, într-un infractor și cum începe să muște, asemeni unui câine fără stăpân, ce se teme pentru viața lui!

Dar să revenim la povestea noastră...

Mă apropiam, fără grabă, de micul ghișeu de schimb valutar. Pe o bucată de hârtie, aveam numele expeditorului, suma de bani și locul din care trebuia să-i ridic. Eram perfect conștient de faptul că ceea ce fac se numește fraudă. M-am uitat în jur după poliție sau orice altceva care mi-ar fi putut amenința siguranța, după orice semn că oamenii sau personalul nu se poartă firesc sau nu se mișcă în modul obișnuit, „ca la aeroport". Aveam o senzație ciudată, chiar deasupra stomacului – o vagă fierbințeală pe care o simțeam ca pe un semnal de alarmă; nu putea fi decât ori dragoste, ori pericol. Îmi băteam capul să-mi dau seama ce-mi trezește oare acest sentiment și am conchis că e mai degrabă vorba de prima variantă decât de a doua.

Era aproape o lună de când Margareta îmi spusese că e însărcinată și în câteva săptămâni aveam să mergem să-și facă ecografie, să vedem dacă vom avea fată sau băiat.

Începusem să-mi fac planuri pentru un viitor stabil și sigur, care să-i asigure viitorul copilului meu. Eram de destulă vreme implicat în activități infracționale și uram riscul și povara vinovăției ce veneau la pachet cu ele, dar, nepricepându-mă să fac bani altfel, asta mi se păruse unica opțiune.

Pe de altă parte, avusesem întotdeauna note bune la școală și fusesem un elev bun, fără să-mi fac decât rareori tema, doar absorbind, pur și simplu, informația chiar înainte de începerea orei. La judo încă eram destul de bun și mi se spusese mereu că o educație bună și succesul în sport e cea mai bună combinație pentru dezvoltarea ta ca bărbat. De ce nu reușisem încă să mă integrez? Oare lumea o luase razna sau fusesem înșelat tot acest timp? Firmele care angajau nu aveau nevoie de oameni care vorbesc prost engleza și n-au experiență, însă un tip puternic și inteligent e combinația perfectă pentru activitățile infracționale.

Astea erau gândurile ce mi se învârteau în cap în timp ce mă apropiam de micul ghișeu. Am început să verific că totul e cât se poate de sigur: doar arăt pașaportul, iau banii și plec – floare la ureche, nu-i așa? Eram atât de norocos să cunosc oameni care să-mi dea acest gen de „ponturi", însă instinctul meu îmi spunea să fug. De obicei îmi ascult instinctul, pentru că, în majoritatea cazurilor, el nu mă prea înșală. Și totuși, nu puteam să las totul baltă acum – eram la șapte ore de mers cu mașina de casă și aveam nevoie de bani. „M-am dus în Scoția, la un pont «sigur» și m-am întors fiindcă am simțit o fierbințeală deasupra stomacului". Hmm, nu e o replică prea inteligentă, nu?

Acuratețea percepției umane e uluitoare. Strategul de afaceri și life coach-ul Tony Robbins povestea la un moment dat despre un mare chirurg plastician care era vizitat de multe celebrități. Chirurgul i-a zis că diferența dintre urât și frumos e minusculă, sub un milimetru – e vorba în principal despre spațiul dintre nas și buza de sus. La fel, e suficient ca o persoană să-și desprindă privirea de a ta preț de, să zicem, o milisecundă, ca instinctul tău să-ți spună că acea persoană minte. Suntem foarte buni să recunoaștem aceste mici detalii, grație mecanismelor noastre de supraviețuire extrem de evoluate.

Am observat acea foarte scurtă mișcare a ochiului și contracția mușchilor faciali ai casierului, aproape invizibilă, în clipa în care a primit solicitarea mea și mi-a luat pașaportul. Acele mișcări aproape insesizabile au făcut ca sentimentul că e ceva în neregulă să devină tot mai puternic și mai intens. Îndoiala s-a dublat, dar încă mai speram.

— O clipă, vă rog, a zis el.

Timpul are niște proprietăți uluitoare. Deși e considerat fix și măsurabil, fiecare om îl percepe diferit, în funcție de împrejurările în care se află. Cele cinci minute petrecute în așteptarea unui rezultat important, comparate cu cinci minute petrecute împreună cu ființa iubită sunt percepute complet diferit. Acest minut a părut că durează ore întregi. Întreaga viață mi-a trecut prin fața ochilor. *Fir-ar al naibii, nu-mi place asta*, m-am gândit. Am sperat că cei trei ofițeri de poliție pe care îi vedeam nu vin după mine. Trebuia să par relaxat și să nu dau nici un semn de îngrijorare. Încă doi se apropiau din partea opusă... *Stai calm.* Dacă fug, în mod sigur n-am să obțin banii. La urma urmei, acești polițiști puteau să se plimbe, pur și simplu, așa cum fac de regulă prin aeroporturi. Mai bine aștept și-mi iau o figură senină.

Ghinion. *După mine* veneau.

Celula de închisoare era un loc plicticos şi rece, zugrăvit într-o nuanţă rece de albastru, cu o masă de metal prinsă de podea, un televizor prins în perete, un pat de metal supraetajat şi un mic WC. Aveam voie să ies din cameră doar două ore pe zi şi alte două ore în care mâncam şi făceam un duş. Nu mă simţisem niciodată atât de neputincios şi de animalizat. Tipul din patul de sus era din Irak şi vorbea o engleză şi mai proastă decât a mea. Dacă filmul nu începea cu o explozie, schimba canalul. Din patul meu, încercam să zăresc ceva afară, prin cei cinci centimetri dintre tocul ferestrei cu geam jivrat şi grilajele metalice. Nu vedeam decât un porumbel şi cerul Scoţiei, uneori albastru, cu soare strălucitor. Şi deasupra lor, un gard înalt, cu sârmă ghimpată. Şi atunci în mintea mea începea să se deruleze un adevărat spectacol alcătuit din amintiri, gânduri şi idei.

După trei luni fără cărţi, în care primisem doar nişte hârtie pe care să scriu sau să desenez, solicitările mele au primit răspuns de la autorităţi şi mi s-a permis să mă duc la sală, să iau lecţii de engleză, să-mi aleg câteva cărţi de la bibliotecă şi, cel mai important, să urmez cursuri de instalator şi de zidărie, pe care abia le aşteptam. Acestea îmi ofereau cunoştinţe practice pe care le puteam apoi folosi în viaţă, mult mai mult decât celelalte pe care le deprinsesem aici şi care nu mă ajutaseră să ajung nicăieri, decât în închisoare. Engleza mi s-a îmbunătăţit şi accentul meu scoţian şi mai şi! Am început să fiu încrezător că, atunci când mă voi elibera, am să fac ceva folositor cu toate noile cunoştinţe pe care le căpătasem.

Mi s-a tăiat orice contact cu Margareta. O lăsasem însărcinată, fără sprijin sau bani, cu viza pe punctul de a expira, iar gândul ăsta nu-mi dădea deloc pace. Eram neputincios. Porumbelul pe care îl vedeam mereu la geam era liber. (Indiferent cine credem că suntem, cu toții mai vărsăm câte-o lacrimă uneori.) Ăsta a fost cel mai îngrozitor moment al experienței mele acolo: să mă aflu în celulă, să mă plimb în lungul și-n latul ei, să plâng, gândindu-mă cât am fost de prost. Și Margareta ce-o să facă acum? E însărcinată, viza îi e aproape expirată și are doar 30 de lire de cheltuială. Ea nu știe cum funcționează lucrurile aici, nu știe nici măcar cum să depună bani într-un cont. Cum o să se descurce? O să plece acasă sau o să fie deportată? Cine știe când am s-o mai văd și când am să-mi văd, oare, fiul ce se va naște în curând? Dacă sînt deportat, cum și când o să reușesc să-i văd? Mă chinuiau o mulțime de întrebări fără răspuns, dar extrem de dureroase...

O cunoscusem la Londra, unde ea se afla de câteva luni, să învețe engleza. A devenit dragostea vieții mele și mama iubitului nostru fiu, Alex. Nu puteam petrece nici măcar un ceas fără să ne vedem sau, cel puțin, să vorbim. Iar acum eram despărțiți, pentru Dumnezeu știe cât timp.

Dar ideea e că, indiferent care e situația, tu deții controlul. O poți rezolva. Poți migra dintr-o situație într-alta – încet și poate dureros, dar e posibil. Însă atunci, indiferent de cât de tare îmi doream să schimb lucrurile, mă aflam în spatele unor ziduri groase. Părea că nu am nici o șansă măcar să încerc să schimb lucurile, din spatele gratiilor.

Până la urmă, a venit clipa să fiu eliberat și să o reîntâlnesc. Tot acest timp, locuise cu prietenii mei de la liceu. Aceștia ne ajutaseră extraordinar de mult, atât pe mine, cât și pe Margareta, cât eu fusesem închis. Acum trebuia să merg mai departe, să las infracţiunile în urma mea şi să mă asigur că familia mea o să fie în siguranţă şi că o să aibă tot ce îi trebuie.

Am început să citesc cărţi, m-am înscris la un curs de website design, mi-am cumpărat o claviatură cu 50 de lire şi am început să iau lecţii de pian, pentru dezvoltarea creierului. Un prieten de-al meu din perioada când eram delincvent mi-a zis:

— Ce ai de gând, măi, Vadim, de ce citeşti toate cărţile astea şi te duci la toate seminariile astea? Vino cu noi, să faci bani frumoşi, şi lasă toate prostiile astea. Şi ce dracu' e cu lecţiile astea de pian? Cred că tre' să te vadă un doctor.

Însă eu nu m-am lăsat şi la scurt timp am urmat un curs de citire rapidă. Am ajuns, astfel, să parcurg cărţile ca şi cum aş fi mâncat nişte biscuiţi. Începeam să văd în jurul meu o mulţime de idei din care se puteau scoate bani şi, pur şi simplu, ziua nu avea atâtea ore câte ţi-ar fi trebuit ca să le poţi pune în practică pe toate.

O parte importantă a identităţii tale sunt eşecurile tale. Acceptă-le şi învaţă din ele. Nu există nici un om important care să nu fi dat greş niciodată. Michael Jordan, care e considerat cel mai bun jucător de baschet al tuturor timpurilor, zicea:

— Am ratat peste nouă mii de lovituri la coş în cariera mea. Am pierdut aproape trei sute de meciuri. De douăzeci şi şase de ori mi s-a oferit şansa de a marca golul decisiv şi am ratat. Am dat greş de zeci şi sute şi mii de ori în viaţa mea. Şi de-asta am şi avut succes.

Nu s-a lăsat păgubaş şi a încercat iar şi iar şi iar.

Gândeşte-te la identitate ca la un brand – gândeşte-te la Nike, Apple, Gandhi – îl construieşti, ai grijă de el, iar el va lucra pentru tine şi îţi va aduce bani.

Pentru a construi un brand, fie personal, fie unul de afaceri, ai nevoie de multă energie fizică, de tărie de caracter şi de performanţă mentală. Eu sunt atent la următoarele:

1. Mâncare – cantitate, calitate, moment – şi apă.

2. Mişcare – ori de câte ori e posibil, mergi pe jos în loc să iei maşina, urcă scările ori de câte ori e posibil.

3. Caracter – roagă-te sau meditează, exprimă-ţi recunoştinţa, scrie poezii.

Sugestii de lectură: *Cum să-ţi faci prieteni şi să devii influent*, Dale Carnegie; *Rubaiatele lui Omar Khayyam*; *Principele*, Niccolo Machiavelli; *Cum să nu mori: Descoperă mâncărurile care s-a dovedit ştiinţific că previn şi vindecă boala*, Michael Greger.

3

DEZVOLTARE

Indiferent dacă tu crezi că poți face un lucru sau nu, ai
dreptate. Eșecul e doar șansa de-a o lua de la capăt,
cu mai multă inteligență.

– Henry Ford

DEZVOLTAREA ÎNSEAMNĂ VIAȚĂ. Trebuie să crezi în ea. Ai încredere. Cu încredere, am ajuns departe. Fără ea, n-aș fi ieșit niciodată din țară cu doar 200 de dolari în buzunar, și fără pașaport. Nu mi-aș fi părăsit niciodată casa și toate lucrurile cu care eram obișnuit, alegând în locul lor un drum necunoscut și aproape imposibil.

Trebuie să n-ai nici o formă, să n-ai contur; să fii ca apa.
Când torni apă într-o cană, ea devine cana.
Când torni apă într-o sticlă, ea devine sticla.
Când torni apă într-un ceainic, ea devine ceainicul.
Apa poate picura și poate zdrobi. Fii ca apa, prietene.

– Bruce Lee

CE E LIRPS? SĂ IEI CE-ȚI ARUNCĂ VIAȚA ÎN CALE ȘI SĂ FACI CEVA CU ACEL LUCRU

În 1996, m-am înscris în fine la LIRPS, și visul meu de a scăpa de acasă, ajungând într-o școală atât de prestigioasă, s-a împlinit. Ura! Eram extrem de fericit să am parte de această nouă șansă și provocare. Și mă încânta enorm ideea de a schimba mediul, de a trăi departe de părinții mei și de certurile lor la beție, care mă făceau să mă simt atât de prost. Însă n-a fost deloc ușor la început – să fiu departe de părinți, la doar doisprezece ani. Simțeam cantitatea enormă de testosteron din aer și toți indivizii ăia musculoși, posaci, cu figuri ce te băgau în sperieți mă cam intimidau.

LIRPS era o școală cu profil sportiv, pentru elevi între nouă și optsprezece ani. La origine era un orfelinat, deși numărul celor cu adevărat orfani era destul de mic, așa că era mai degrabă un internat foarte dur. Clădirile erau legate între ele prin mici poteci de ciment, ce duceau de la sălile de clasă la cantină și câteva săli de lupte greco-romane și de gimnastică, inclusiv două pentru judo. Erau, de asemenea, două mici stadioane și unul mare pentru fotbal și atletism. Apoi mai erau trei clădiri cu dormitoare, în care elevii erau împărțiți: una era pentru sporturi de impact, precum judo, lupte greco-romane și box; una pentru alte sporturi, ca șah, atletism și gimnastică; iar a treia era pentru fete. Spațiile erau astfel aranjate încât să evite ca sporturile de impact să agreseze disciplinele mai puțin violente.

În prima dimineață de după sosirea mea, la ora șase, am fost trezit de o bătaie puternică în ușa alăturată, urmată de o voce aproape isterică ce striga „Gimnastică!" Când asta s-a repetat la uşa noastră, a fost atât de asurzitor şi de înfricoşător că am fugit să deschid. Însă bătrâna cu voce ca de megafon bătea deja la uşa alăturată şi nu mi-a acordat nici o atenţie. Întregul coridor era în general plin de nou-veniţi care ieşiseră doar în chiloţi. Nu înţelegeam ce se întâmplă sau ce era cu toată agitaţia asta. Ne uitam doar unul la altul, gândindu-ne: „De ce strigă?"

Eu, Serghei şi Anatol împărţeam toţi trei o cameră spartană: trei paturi cu cadru metalic, un şifonier mare şi o masă. Eram toţi de aceeaşi vârstă, abia admişi. Serghei era blond, cu ochi albaştri. Şi tatăl lui absolvise LIRPS-ul şi avusese acelaşi antrenor de judo ca şi fiul său. Cei care urmaseră acest liceu îşi trimiteau adesea fiii şi fiicele aici, pentru că ştiau cât e de importantă disciplina şi cât de eficient e acest loc pentru dezvoltarea personală. Aproape întotdeauna, copilul era trimis la acelaşi antrenor cu care lucraseră şi părinţii lui. Era o lege nescrisă, transmisă din generaţie în generaţie.

Erau însă transmise nou-veniţilor şi lucruri concrete. Absolvenţii lăsau mereu echipamente când plecau, pentru cei ce rămâneau. Era bine ştiut faptul că, din cauza lipsei de resurse, elevii cei noi nu vor avea cine ştie ce echipamente cu care să se antreneze.

În general, era o cultură în care membrii se sprijineau reciproc, iar cei mai puternici şi mai în vârstă îi „educau" pe cei mai tineri sau aveau grijă de ei. E adevărat, „educaţia" însemna aproape întotdeauna un şut în fund dat celui mai tânăr pentru greşelile lui (sau uneori doar de amuzament) sau obligarea acestuia să facă diverse corvezi sau să „ajute" la spălarea hainelor celor mai mari.

Însă Anatol, colegul meu de cameră, nu făcea corvezi pentru cei mari. Unchiul lui terminase și el LIRPS-ul și avea relații. Anatol era foarte sigur pe el și nu se temea de indivizii mai mari, cum ne temeam eu și ceilalți nou-veniți. Le răspundea „De ce eu? Nu mă duc", dacă i se spunea să se ducă la magazin să cumpere ceva, sau refuza să dea altcuiva vreun lucru de-al lui când i se cerea. Cineva fără relații sau putere ar fi făcut pur și simplu ce i se cerea, altfel ar fi fost zvântat în bătaie. Cei care cereau „favoruri" aflau rapid cui să nu i le mai ceară și se duceau și găseau vreun puști mai fricos, în care puteau băga spaima. Acești inși puternici îi respectau însă pe cei buni și se sprijineau unii pe alții la nevoie.

Anatol, Serghei și cu mine eram foarte apropiați și prietenoși și ne păzeam unul altuia spatele când nu eram în camera noastră. Părinții mei nu-mi dăduseră bani decât pentru biletul de dus și nu aveam bani să plec acasă în weekend, cum făceau mulți alții. Însă nu eram lăsat singur și colegii mă luau deseori la ei acasă, unde ne simțeam extraordinar și dădeam iama în mâncarea nemaipomenită, proaspăt gătită. Îmi plăcea la nebunie!

Într-o dimineață, foarte devreme, am auzit un glas de adult strigând:

— Toată lumea, îmbrăcarea și afară!

Îl mai văzusem pe tipul respectiv ajutându-i pe antrenori, și părea că îi știe pe toți. Am aflat că îl cheamă Marcel. Marcel avea o privire de om sigur pe sine și vorbele lui aveau greutatea unor ordine date de un general ce-și comandă soldații. Tonul lui a fost eficient – toată lumea s-a dat jos din pat și s-a îmbrăcat cât ai clipi. Era strigarea pentru alergarea de la 6.30.

Încă mă mai dureau picioarele după alergarea istovitoare din ziua trecută. Am alergat încontinuu vreme de două ore în jurul Văii trandafirilor, un parc plin de verdeață, cu trei lacuri. Apoi am făcut douăzeci de ture în viteză în susul unui deal abrupt, înclinat la treizeci și cinci de grade. Am crezut că mor, dar antrenorul nu s-a oprit aici și ne-a pus să mai facem încă zece sărituri ca broasca pe o distanță de zece metri. Unii dintre noi vomitau, iar alții, pur și simplu, nu mai voiau să continue. Cineva a șoptit că „Șeful" (care am aflat apoi că era porecla lui Vasile Luca, deși doar elevii îi ziceau așa, între ei) „deschidea sezonul" cu ședința asta criminală de antrenament ca să scape de cei leneși și de cei slabi, care aveau să se lase păgubași după prima zi. (Nu avusesem în viața mea asemenea febră musculară – însă n-am renunțat.)

Așa cum am mai spus, Marcel a fost una dintre persoanele care m-au influențat cel mai mult în viața mea și chiar și în ziua aceea avea o asemenea expresie pe chip – puternică, dar plăcută, deschisă, blândă și sinceră –, că te făcea să ai încredere în el pe loc. Mi-am amintit că îl văzusem în ziua în care intrasem prima oară în școală.

După ce am terminat cu alergarea, Șeful a plecat, lăsându-ne să ne antrenăm cu unul dintre elevii mai mari. În timp ce așteptam, am auzit un strigăt. Ne-am întors la țanc, ca să-l vedem pe unul dintre elevii mai mari trăgându-i un pumn în față altuia și aruncându-l pe pământ, aproape inconștient. Acesta s-a întors apoi agale spre noi. *Ce dracu' se întâmplă?* m-am gândit. *Ce dracu' s-a întâmplat adineaori și de ce? Ce-o să facă acum?* La treisprezece ani, nu văzusem o asemenea scenă decât în filme. *Cine sunt oamenii ăștia?*

Spaima de necunoscut m-a copleşit iar şi m-am întrebat dacă o să fiu şi eu bătut în acelaşi hal.

Din păcate, aveam dreptate să mă tem. Când ne-am întors în cameră şi tocmai ne îmbrăcam ca să ne ducem la cantină, la micul dejun, doi dintre elevii mai mari au năvălit în camera noastră cu vreo patru dintre elevii cei noi care întârziaseră în dimineaţa aceea, ca şi noi.

— Toată lumea alinierea pentru *pantofi*!

Unul dintre cei mai mari i-a poruncit unuia dintre cei noi să se culce pe pat cu faţa în jos şi apoi, cu un pantof imens de cauciuc în mână, a început să-l plesnească şi să-l lovească pe cel mai tânăr peste fund. Ne-am uitat unii la alţii înspăimântaţi şi şocaţi. Celălalt elev mai mare, care nu dădea, a început să-l ţintuiască pe bietul amărât de pat, în timp ce acesta se chinuia să scape, şi i-a poruncit să se culce la loc. Unul după altul, am trecut cu toţii fără voie prin acest proces, aflând astfel că urma să ne fie foarte rău dacă mai întârziam şi nu respectam regulamentul şcolii.

Aveam fundul roşu, îmi ardea şi mă durea. Eram speriat şi voiam să mă duc acasă! Unii dintre ceilalţi elevi noi plângeau. Eram cu toţii tineri şi ne simţeam abuzaţi de aceşti tipi mai mari şi fără milă. Am încercat să mă calmez, cu gândul că măcar eu n-am primit un pumn în faţă cum primise insul de mai devreme – fusese o scenă de groază.

După aceea, am plecat tustrei încet spre cantină, discutând despre incidentele recente. Mă străduiam să nu mă uit în ochii nici unuia dintre cei mari şi insolenţi, care, simţeam, discutau şi ei incidentul de dimineaţa, dar, spre deosebire de noi, zâmbind. Nu-mi venea să cred că s-a putut întâmpla aşa ceva – abuzuri cum nu mai trăisem şi despre care nu mai auzisem până atunci.

Când ne-am apropiat de cantină, am văzut vreo douăzeci de persoane care se îngrămădeau pentru a forma un soi de rând fără cap și coadă. Soarele strălucea puternic, iar vântul de septembrie sufla peste peisajul acoperit de verdeață ce înconjura potecile înguste de asfalt ce duceau către școală. Aerul era foarte plăcut, după arșița verii. Dinspre elevii flămânzi se auzeau discuții, râsete și strigăte, însă nu era zarva obișnuită pe care o auzeam la vechea mea școală; cea de acum suna foarte agresiv.

O voce tăioasă și severă de femeie încerca să calmeze mulțimea:

— Mai tăceți odată, dobitocilor! Dă-i dracului nenorocita aia de lingură!

Trebuia să venim cu lingură de acasă la cantină. Și, dacă unul dintre băieți mai forțoși și-o uita sau și-o pierdea pe-a lui, putea să ia, pur și simplu, una de la băieții mai nevolnici, cu sau fără consimțământul lui. Am aflat că doamna de la cantină era „tanti Elena", o fostă campioană de sambo, dar o femeie foarte strictă și dreaptă, singura persoană ale cărei rugăminți (ordine) majoritatea elevilor le ascultau.

Ceilalți profesori erau adesea intimidați sau speriați de elevii agresivi. Adeseori, aceștia erau seara infractori ce-și puneau bietele victime să le dea hainele de pe ele și le furau obiectele de valoare. De obicei, nu se temeau de profesori, fiindcă știau că nu vor fi dați afară datorită performanțelor lor sportive.

În timp ce noi, bobocii, stăteam la coadă la mâncare, ne trezeam adesea cu câte o palmă la ceafă. Când te întorceai să vezi cine a făcut-o, vedeai un grup de elevi mai mari cu o expresie de genul „n-am văzut nimic" pe față. Între timp, te trezeai cu o nouă palmă venită din altă direcție și, când te întorceai, te mai trezeai cu o palmă. Până la urmă, îți acopereai capul cu mâinile, în timp ce palmele continuau să curgă din toate direcțiile, până când ieșeai din „coadă". Dacă vreunul spunea cine a făcut-o, se trezea cu o palmă peste față, fiind imediat catalogat drept „turnător", ceea ce nimeni nu voia, pentru că odată ce ți s-a pus eticheta asta, nu mai scapi pe veci de ea.

Această „pălmuire stil bâza" se repeta și în clădirea școlii, în timp ce te duceai la clasă. Mă înfuria la culme și, la scurt timp, în clipa în care am apucat să văd cine m-a pălmuit, am sărit la bătaie. După asta, nu m-a mai pălmuit nimeni.

Până la urmă, am reușit să ajungem la cantină și să ne așezăm la coadă la ghișeu, să ne luăm mâncarea. Mi se părea că arată ca un spital sau o închisoare, cu pereții ei pictați în bleu și alb și ferestrele mari și solide. Auzisem că aici vom primi o mâncare nemaipomenită și echilibrată, de care are nevoie un sportiv. Ei bine, așa era pe vremuri. Problema era că în anul ce trecuse țara noastră traversase o criză economică, iar calitatea meselor scăzuse drastic. În loc de terci de ovăz cu lapte, unt și zahăr dimineața, ni se dădea terci făcut cu apă, fără zahăr, și doar uneori câte un cub de unt. Era urmat de ceai și compot din fructe uscate. Cei care erau sprijiniți de părinți aduceau cu ei un mic con de hârtie, cu zahăr. Aceștia erau mereu atacați de câte un grup de elevi care-i implorau să le dea și lor.

Seara, la fel ca după-masa, ne dădeau o mâncare făcută din arpacaș, care n-avea nici un gust, și n-avea pic de carne. Era un soi de mâncare care, atunci când o făceau ai tăi acasă, putea fi foarte gustoasă, însă aici era groaznică. În ziua respectivă, elevii au fost foarte nemulțumiți de mâncare, ceea ce a creat o hărmălaie de nedescris. Cineva a stins luminile şi mâncarea a început să zboare prin toată cantina cufundată în beznă. Balamucul a continuat cam zece minute. După mai multe încercări de a restabili ordinea în sala de mese, până şi tanti Elena a trebuit să se ascundă după cuierul de haine de la intrare. Nu mai văzusem niciodată în viaţa mea aşa o revoltă.

Gândul la primele mele zile la şcoală mă speriase de moarte înainte să ajung aici. Am o problemă cu bâlbâitul (pe care am făcut eforturi să mi-o rezolv, dar chiar şi acum îmi e uneori greu când trebuie să mă prezint) şi ideea de a fi nevoit să-mi spun numele a fost un coşmar – mai ales că numele meu de familie începe cu „T", la care mă bâlbâi cel mai tare. Auzeam chicotele înfundate, uneori chiar şi din partea profesorului, lucru pe care îl uram din suflet. Cu cât eram mai stresat, cu atât mă bâlbâiam mai tare, şi era groaznic. Măcar bine că nu aveam decât patru ore pe zi.

Mă bucuram mereu când trebuia să mă întorc la antrenament, pentru că acolo puteam face performanţă, dând tot ce puteam şi devenind tot mai bun în fiecare zi. Sportul mă ajuta să scap de stres, de jena de la ore şi de ruşinea că mă bâlbâiam. Ruşinea pe care o simţeam mă motiva să trag tare la sport şi încercam s-o folosesc în mod pozitiv. Era singurul mod în care puteam ajunge să fiu privit cu respect şi înţelegere, şi să nu se mai râdă de mine.

Cu febra musculară încă foarte dureroasă după şedinţa criminală de antrenament a Şefului, am fost chemat la a doua mea luptă de judo, cu un elev care era la şcoală de trei ani. Era un tip foarte puternic şi versat, dar eram hotărât să câştig. Nu i-a plăcut deloc asta şi mi-a făcut un semn c-o să fie vai de fundul meu după antrenament, pentru stăruința mea de a încerca să-l bat.

În timpul acestei ședințe de antrenament m-am mai bătut cu încă doi și încă mai simțeam privirea de oțel a insului pe care tocmai îl supărasem. Am încercat să las frica deoparte și să mă concentrez la luptele mele. La sfârșitul antrenamentului, mă mai calmasem un pic și conchisesem că n-are nici un rost să-mi fie teamă. Chiar dacă avea să mă ia la șuturi, n-avea cum să mă omoare. Iar gândul ăsta m-a liniștit cumva și m-a ajutat să-mi iau o expresie hotărâtă și încrezătoare. Atunci am aflat că un judocan adevărat îl va trata cu respect pe cel care îl bate și va încerca să câștige el data viitoare. Toți sportivii adevărați au această atitudine și disciplină, așa că, și dacă individul respectiv avea să mă aștepte afară, ceilalți n-aveau să-l lase să mă bumbăcească fără un motiv serios.

După masa de seară, ne-am întors în camerele noastre și am mâncat niște pâine cu apă și o salată la borcan pe care le ascunsesem sub pat – mâncarea de la cantină pur și simplu nu ne ajungea. I-am auzit pe elevii mai mari întrebând în camerele din jur cine are haine mișto să le dea, să se ducă în oraș, la discotecă. Încercau să găsească niște elevi dintr-o familie mai cu bani, cam de mărimea lor, cu haine de calitate și poate și vreo loțiune după ras. Asta înseamna că toți cei care se duceau la discotecă aveau să miroasă la fel, dar cui îi păsa?

Mai târziu, seara, am auzit voci afară și niște tipi sărind jos, de la ferestre. Căminul era închis peste noapte și asta era singura cale de a ieși. Am aflat că unul dintre ai noștri fusese bătut măr la discotecă, așa că toată lumea, indiferent din ce secțiune și de la ce sport era, se adunase să se ducă acolo și să rezolve problema. Indiferent cum ne purtam unii cu alții în timpul zilei, atunci când eram afară, toată lumea făcea front comun pentru a-l ajuta pe oricare dintre noi – un mod de a „proteja renumele școlii".

IEȘIREA – LASĂ VIAȚA SĂ-ȘI URMEZE CURSUL ȘI LASĂ-TE ÎN VOIA EI

După ani buni de la înscrierea la LIRPS, am hotărât că viața mea a ajuns într-un punct mort și că trebuie să fug în străinătate. Plănuisem să plec cu prietenul meu Oleg, dar o întâmplare nefericită a făcut să fiu nevoit să plec singur (mai mult sau mai puțin). Oleg și cu mine eram pregătiți fizic și psihic și gata să traversăm un „canal" (o rută de imigranți ce evita trecerea granițelor), prin Slovacia și Austria, însă pașaportul meu fusese trimis înapoi fără viză pentru Slovacia, fiindcă îmi expira în trei luni și trebuia să mai fie valabil minimum șase luni. Ne-am gândit că Oleg se poate duce singur. Cel puțin, Oleg putea să testeze în acest fel traseul și să-mi dea amănunte la zi despre călătorie. Mă putea, de asemenea, ajuta când ajungeam și eu acolo. Aceste gânduri m-au făcut să scap de sentimentele negative pe care le-am avut când am primit înapoi pașaportul.

Mai dura încă trei săptămâni să-mi prelungesc pașaportul și să obțin viză slovacă. Am sperat că autoritățile nu vor introduce măsuri suplimentare de siguranță în această perioadă, în care am auzit că Slovacia „va fi curând membră în UE". Între timp, am început să învăț câteva cuvinte și propoziții în engleză, care aveau să-mi fie de ajutor pe drum. Mi-am dezvoltat o tehnică prin care să memorez foarte rapid numerele și literele. Ori de câte ori eram afară, ziceam cu voce tare, pe litere, în engleză, numerele mașinilor pe care le vedeam. Am devenit curând foarte bun la asta. Trecuse o zi de la plecarea lui Oleg și eram în așteptare, sperând să aflu vești de la el. Îmi închipuisem că, atunci când va ajunge la Viena, îmi va spune. *Poate că și-a găsit deja slujbă și o să mă aștepte la sosire?* Am recunoscut acest sentiment din copilărie: nerăbdarea pe care o ai în dimineața Crăciunului. Nerăbdător, dar fericit! Apoi, după aproape o săptămână, nimeni nu avea nici o veste de la el, nu-și sunase nici părinții și semnele nu erau prea bune. Peste alte două zile, Oleg a sunat dintr-o închisoare din Austria, în care fusese reținut, în așteptarea azilului. *O să fie bine!* Cel puțin, asta însemna că acel canal încă mai era deschis.

Adaptarea – Ne Adaptăm Și Ne Dezvoltăm În Orice Loc În Care Se Întâmplă Să Ajungem

Oamenii nu încetează să mă uimească – prin câte pot să treacă și la câte se pot adapta. În drumul meu spre Marea Britanie, după ce-am scăpat de mafioții din Roma, am ajuns în nordul Italiei, unde m-am întâlnit cu Max, un vechi prieten de școală. Era incredibil cum puteau trăi imigranții acolo. Rareori plăteau pentru articole de menaj – acele lucruri puteau fi șterpelite din trenuri, toalete și alte locuri publice. Chiar și în cazul biletelor de tren, Max avea o tehnică a lui, care-i permitea să „aranjeze" biletul ca să îl poată folosi de un număr aproape nelimitat de ori.

În tren, Max mi-a povestit despre noua lui viață și despre cum a trebuit să-și convingă tatăl să mă lase să stau în apartamentul lor câteva zile. Tatăl lui trebuia să muncească din greu – ca să strângă bani pentru fiul şi nevasta lui, de acasă – şi ştiam cât îl costă traiul zilnic. Eu aveam să fiu încă o gură de hrănit. Am hotărât să mă fac cât mai invizibil cu putinţă şi să ajut ori de câte ori era nevoie. În cele din urmă, de la câteva zile s-au făcut trei luni, ceea ce nu i-a convenit deloc tatălui lui Max. Şi aflam asta ori de câte ori mai bea câte ceva.

Paşaportul meu încă nu era gata, iar fratele meu Alex căuta oameni de la care să împrumute bani pentru drumul meu de la Bruxelles la Londra, aşa că nu aveam prea multe opţiuni. M-am străduit să ajut cât pot şi să fiu aproape nevăzut. Umpleam frigiderul – furând din magazinele alimentare –, ca să nu ne lipsească niciodată mâncarea. Până la urmă, ne-am distrat destul de bine împreună. Am învăţat italiană uitându-mă la televizor şi vorbind câteodată cu oamenii când îi întrebam de vreo stradă sau alte lucruri. E o limbă romanică, foarte asemănătoare cu cea moldovenească, aşa că era uşor de învăţat. În plus, aveam ureche pentru limbi străine şi chiar eram interesat – aşa fusese şi când eram în Slovacia şi în Austria, la începutul călătoriei mele.

La scurt timp după reîntâlnirea mea cu Max, m-am gândit că avem nevoie de mai multe haine. Am observat toate acele puncte unde se donau haine – containere mari de metal, care n-aveau decât o uşiţă cu un singur sens, precum cea prin care primeai bani la bancă, şi unde doar puteai băga diverse lucruri, dar nu aveai cum să scoţi nimic. Aceste bănci de haine se aflau peste tot şi ne-am gândit să spargem câteva dintre ele şi să ne mai primenim un pic ţinuta. Însă, în timp ce examinam atent containerele milei şi ne gândeam cum să le spargem, ne-am dat seama că, dacă am fi prinşi, am fi pedepsiţi exact ca atunci când am fi prinşi furând din magazine. Şi atunci, de ce să nu ne ducem direct în magazin şi să ne alegem nişte haine noi, pe măsura noastră? Am devenit foarte pricepuţi la asta şi în curând ne-am făcut rost de nişte haine foarte frumoase. Am ajuns să cunoaştem toate magazinele şi să găsim căi prin care să scoatem din ele ce ne doream – atât de bine, încât în curând ajunseserăm să intrăm doar ca să vedem ce noutăţi mai au. N-am fost prinşi niciodată, dar o singură dată am fost, totuşi, opriţi. Uitasem o etichetă de preţ în buzunar şi intrasem într-un alt magazin, însă, nefiind din magazinul lor, păruse un simplu accident. Când intram într-un magazin, purtam intenţionat haine mai mari; luam cu noi în cabina de probă mai multe haine şi le rupeam etichetele. Ţesătura avea o mică gaură în locul respectiv, dar nu ne deranja, pentru că erau pentru uz personal. Însă, până la urmă, ne-am dat seama că trebuie să acţionăm mai profesionist şi am furat un patent dintr-un magazin, ca să putem scoate etichetele fără să mai lăsăm nici o gaură.

Am început să mă simt ca un parazit. Nu făceam decât să iau, fără să dau nimic înapoi societăţii, iar asta mă făcea să mă simt un pic aiurea. Cred că eram un produs al experienţelor noastre şi al împrejurărilor vieţii noastre. M-am gândit că, dacă altcineva ar fi trecut prin exact aceleaşi întâmplări şi circumstanţe şi ar fi trăit ca noi, ar fi exact ca noi. Că ar fi ca la gătit – ori de câte ori foloseşti aceeaşi reţetă, obţii acelaşi fel de mâncare, cu acelaşi gust. Cel puţin, la momentul acela, teoria asta m-a mulţumit.

CUVINTELE SUNT LEACUL TĂU

Aşa cum am spus, am crescut într-un mediu religios. În afară de faptul că desenam sfinţii şi biserica satului, citeam Biblia în trei limbi, fiind atent la înţelesul dintr-una şi comparându-le. M-am uitat, de asemenea, şi în cărţile sfinte ale altor religii. În fiecare ţară prin care treceam, mă duceam cel puţin o dată la biserică. Nu-mi păsa ce religie aveau locuitorii ei. Pur şi simplu mă duceam şi, dacă eram întrebat ce religie am, fie nu răspundeam, fie minţeam – nu-mi păsa de denumirea ei, mă interesa doar energia şi pacea locului respectiv.

Biserica a avut o mare influenţă asupra mea şi adeseori fac legături între diverse lucruri pe care le citesc şi le văd şi Biblie. În privinţa cuvintelor pe care le folosim, pe care eu le consider una dintre cele mai importante părţi ale dezvoltării noastre, mi-am dezvoltat propria mea teorie, legată de experienţa mea practică şi de Biblie.

Biblia spune că la început a fost Cuvântul – şi că de acolo începe totul. Mai spune, de asemenea, că păcatele tale vor cădea asupra copiilor tăi şi asupra copiilor lor, până la cea de-a şaptea generaţie. Ei bine, eu am combinat aceste două idei. Cuvintele folosite în casă ori de părinţi se întipăresc în vocabularul copiilor lor, după care sunt moştenite de copii lor, şi tot aşa. De-asta, cuvintele pe care le folosim sunt atât de importante şi trebuie să fim atenţi cu ele şi să le cântărim bine.

Cuvintele tale te pot face slab sau tare.

O să încep cu un exemplu de limbaj slab și limbaj tare:

Rugăminte:
„Hei, te rog ajută-mă să..." sau „Hei, alătură-te și tu grupului nostru de..."

Răspuns slab:
„Îmi pare rău, **nu pot**, pentru că **trebuie să**..."

Aceste cuvinte acționează la nivel subconștient, făcându-te să pari slab, sugerând că nu controlezi situația respectivă și că nu ești în stare să alegi singur. În același timp, amplifică agresivitatea mesajului în mintea subconștientă a interlocutorului.

Răspuns puternic:
„Îmi pare rău, lucrez la un proiect personal... și n-am să pot... de data asta. Însă în mod sigur am să iau propunerea ta în calcul... data viitoare."

Asta te pune într-o poziție puternică, una în care e clar că ai capacitatea de a alege și de a hotărî care îți sunt prioritățile. Oamenii îi respectă pe cei cu opinii clare, indiferent dacă acestea se opun propriilor lor dorințe.

Mai puțin **nu pot**, mai mult **n-am să**,
Mai puțin **trebuie să**, mai mult **o să**.

Când pui întrebarea:

Slab:
„**Îmi cer scuze, pot să te întreb**..." sau „**Îmi cer mii de scuze că vă deranjez**, ați putea vă rog..."

Puternic:

„Hei, ai putea să fii amabil să..." sau „Ești extraordinar, aș putea să te rog să..."

Asta îți demonstrează clar hotărârea și poziția de forță și crește șansele de a obține rezultatul dorit. În loc să ceri permisiunea de a întreba – ca și cum ceea ce vrei să întrebi nu e important – întreabă ca și cum ce vrei să întrebi e important.

Cu cât folosești mai mult aceste cuvinte slabe sau tari, cu atât îți vei da mai mult seama că lumea ți se adresează în funcție de ele.

Evită să folosești termeni categorici – „întotdeauna", „niciodată" – mai ales în dispute sau discuții în contradictoriu. „Ești mereu cu capsa pusă!" „Nu-mi spui niciodată că mă iubești!" Scoate-le din vocabularul tău. Folosindu-le, vei obliga persoana cu care te afli în dispută să intre în defensivă și o vei face să se concentreze asupra dăților în care ți-a spus „te iubesc" sau nu era cu capsa pusă și așa mai departe, și să înceapă să încerce să-ți demonstreze acest lucru în loc să se concentreze asupra rezolvării disputei.

Spune:

„În ultimul timp ai fost un pachet de nervi" sau „Îți sare deseori țandăra"; și „În ultimul timp îmi spui foarte rar că mă iubești" sau „Nu te-am mai auzit de mult timp spunându-mi că mă iubești".

În felul ăsta, vei păstra discuția la un nivel realist și te vei concentra asupra rezolvării situației, și nu asupra etichetării persoanei respective.

Deşi nu sunt întotdeauna perfect, încerc să-mi aleg cu grijă cuvintele ori de câte ori scriu un text sau spun ceva. Tocmai am făcut asta adineaori, scriind un SMS cuiva care mi-a cerut părerea în legătură cu o situaţie. Tocmai voiam să-i scriu „Nu-ţi pot da sfaturi pe tema asta", însă apoi am ales o versiune mai puternică: „E alegerea ta, nu a mea". Ideea e că nu pot ajuta pe nimeni dacă nu mă aflu într-o poziţie suficient de puternică.

Deşi alegerea cuvintelor e o artă în sine şi sunt multe de spus în privinţa asta, am vrut doar să vă dau câteva exemple simple, care să vă trezească interesul, ca să începeţi să vă documentaţi personal.

Măsura inteligenţei e capacitatea de a te schimba.
– Anonim

Cei care nu pot schimba felul
în care gândesc nu pot schimba nimic.
– George Bernard Shaw

Dezvoltarea trebuie să fie permanentă, zi după zi. Aşa cum nu te poţi aştepta să ai dantura curată pe viaţă după ce te-ai spălat bine pe dinţi o singură dată, nu te poţi aştepta nici să fii gata să înfrunţi toate provocările vieţii după ce ai citit o singură carte sau ai participat la un seminar. Nu te poţi aştepta să ai o relaţie minunată pe vecie după ce-i dăruieşti persoanei iubite un buchet de flori de ziua ei.

Cei mai mari artişti ai lumii, cei care duc o viaţă incredibilă, se dezvoltă în permanenţă.

Învață tot ce poți despre domeniul financiar: o persoană se îmbogățește nu prin felul în care a câștigat banii, ci prin modul în care îi gestionează. Abilitatea de a-ți administra banii e mai importantă decât cea de a-i obține.

Ești ceea ce mănânci, te definești prin cei cu care îți petreci timpul, prin ceea ce citești și ce spui. Așa că îmbunătățește-ți dieta, rețeaua socială și obiceiurile și nu uita nici de sport. Îmbunătățește-ți abilitățile și învață altele noi: finanțe, cum să fii lider, programare, vânzări, marketing.

Dacă ai nevoie de surse de inspirație, uită-te pe blogul meu: vadimblog.com.

Multe studii făcute asupra persoanelor cu cel mai mare succes arată că acestea sunt lucrurile pe care le fac de obicei cu toții, așa că de ce nu începi și tu prin a face același lucru?

1. Creează-ți mai multe surse de venit

2. Economisește pentru a investi

3. Înconjoară-te de oameni care au realizat ceva în viață

4. Fii hotărât

5. Fii receptiv

6. Fii tenace

7. Vorbește despre idei, nu despre lucruri

8. Fii relaxat atunci cînd îți asumi riscuri calculate.

Sugestii de lectură: *Gena egoistă,* Richard Dawkins; *Strategii de geniu,* Robert Dilts; *Mulțumesc pentru pledare,* Jay Heinrichs; *Acceptă-ți teama, dar nu te lăsa inhibat de ea,* Susan Jeffers.

4

RELAȚII

O AMENII SUNT CEL mai de preț capital. Rețeaua ta de relații și cei cu care îți petreci timpul te influențează enorm. Se spune că tu ești media celor cinci persoane cu care îți petreci cel mai mult timp liber – așa că ai grijă cu cine îți petreci timpul. În sport, se spune că, dacă vrei să fii mai bun în ceea ce faci, trebuie să ai de la cine să înveți, să ai pe cineva la nivelul tău, cu care să te antrenezi, și pe cineva pe care să-l înveți tu. Cred că toate acestea sunt adevărate, dar aș adăuga și că trebuie să petreci cât mai puțin timp liber sau, la modul ideal, să te detașezi complet de persoanele negative și de cei care te seacă de energie sau te fac să te îndoiești de visul tău.

Fii bun cu oamenii și oamenii vor fi buni cu tine – chiar și cei care nu te cunosc.

Devino prietenul pe care ai vrea să-l ai
sau persoana cu care ai vrea să ai de-a face
și asumă-ți consecințele acțiunilor tale.

Perspectiva și oportunitățile mele erau limitate, dar mediul înconjurător nu-mi oferea multe idei, ci doar câteva șanse modeste, așa că, dat fiind faptul că desenam bine, când am ajuns în Marea Britanie am învățat să falsific pașapoarte. Această activitate era cunoscută sub numele de *perekleika*. Pe vremea aia, falsificarea pașapoartelor era destul de simplă, iar talentele mele artistice mi-au fost de mare ajutor. În curând, cei care aveau nevoie de acte pentru serviciu sau bancă, sau de permise de conducere și pașapoarte de toate felurile au început să mă caute. Existau doar doi furnizori importanți de pașapoarte pe hârtie și de carduri de plastic (acte de identitate, permise de conducere și celelalte), iar aceștia aveau încredere în doar câteva persoane care să facă această muncă, iar eu eram una dintre ele.

Nu făceam documente decât pentru oameni pe care îi cunoșteam bine, cam cincisprezece-douăzeci de persoane, sau prietenii lor, însă tot era mult de lucru. Prețul creștea odată cu volumul de muncă și la fiecare document fiecare dintre cei implicați își punea un profit substanțial, astfel încât cumpărătorul final (care avea să folosească documentul contrafăcut) plătea de nu știu câte ori suma pe care o primeam eu. Era clar că cei de sus fac cei mai mulți bani, dar era dificil ca un ins necunoscut, ca mine, să ajungă acolo.

Am învățat tehnicile de falsificare de la un tip cunoscut drept „Artistul". Artistul era în stare să falsifice orice filigran, timbru sau nume de pe orice document astfel încât nimeni să nu-și dea seama că e contrafăcut decât dacă avea instrumente de mare precizie. În orice caz, majoritatea documentelor „copiate" erau extrem de prost lucrate și, având în vedere că oamenii nu știau cum ar trebui să arate sau nu erau în stare să recunoască un document prost copiat, erau adesea prinși la bancă sau la slujbă sau în alte locuri. Culegi ceea ce se semeni, iar pentru mine asta a însemnat că am ajuns după gratii. N-am fost prins pentru pașapoartele false, ci pentru tentativa de fraudă din aeroportul scoțian. Așa că am ajuns într-o închisoare scoțiană. În afară de faptul că nu eram liber și-mi făceam griji pentru Margareta, care era gravidă, nu-mi era prea rău. Aveam prieteni buni care-mi trimiteau bani în cont, pe care-i puteam folosi pentru telefon și cumpărături săptămânale. Cum am mai spus, desenez de la cinci ani. La școală, asta mi-a prins de multe ori bine, ajutându-mă să fac rost de bani pentru afișele competițiilor de judo sau alte sporturi. Această abilitate mi-a fost de ajutor și în închisoare. Deținuții veneau la mine cu o poză a nevestei și a copiilor lor și eu le făceam un portret. În felul ăsta, mai făceam rost de mâncare sau de ce mai aveam nevoie.

După cinci luni, tot nu știam dacă o să fiu eliberat sau deportat. Margareta se întorsese din Rusia și era însărcinată în opt luni, iar viza îi expira în circa șapte luni. Dacă eram deportat, cel mai probabil nu aveam să mai reușesc să mă întorc legal în Anglia mulți ani, iar nevasta mea avea să nască fără mine, cu viza pe punctul de a expira. Mă aflam într-o situație foarte încurcată. Era o femeie extraordinar de drăguță, de dulce, blândă, relaxată și amuzantă, trecuserăm prin atâtea împreună și gândul că nu pot fi cu ea nu-mi dădea deloc pace.

Am aplicat la toate posturile din închisoare, în speranța de a petrece cât mai puțin timp în celulă. Am primit sarcina de a face curat pe hol după cină, când toată lumea se afla înapoi în celule. Însă cel mai bun post era la bucătărie, pentru că aici aveai acces la mâncare, aşa că puteai mânca mai mult sau puteai da mâncare la schimb pentru produse sau servicii. Era un post extrem de râvnit şi de folositor pentru inşii mai duri, cu relaţii. Unul dintre aceştia era un tip înalt, foarte în formă şi răutăcios, pe care l-am poreclit „Gorila". Îi plăcea să facă mişto de alţi deţinuţi şi spunea cele mai idioate bancuri pe care le-am auzit vreodată – şi nepotrivite pentru acest mediu, m-am gândit. Altă poantă care-i plăcea era să-i tragă în jos pantalonii câte unuia şi să râdă de mama focului. Gorila era de obicei însoţit de tovarăşul lui de celulă, favoritul lui.

Tot încercasem s-o sun pe Margareta, dar nu-mi răspunsese. Când n-a mai fost coadă la telefon, am încercat din nou. A răspuns mama ei şi am aşteptat mult până a venit Margareta la telefon, timp în care mi s-a consumat aproape tot creditul.

— Bună, a zis ea.

— Bună, ce faci? Cum te simţi?

— Cam ca naiba, dar e OK, a răspuns ea. Sunt puţin ocupată acum, mă aşteaptă prietenii afară, hai să vorbim mai târziu, acum trebuie să plec.

— OK, te sun în altă zi.

Şi a închis.

Mi-a picat tare rău şi m-am întrebat dacă o avea toane, de la sarcină. Îmi venea să trântesc telefonul de perete şi să-l fac ţăndări, dar mi-am ţinut în frâu mânia. Am luat mătura şi am început să mătur iar podeaua, cufundat în gânduri.

În cea mai mare parte a timpului stăteam în banca mea şi nu vorbeam decât atunci când eram întrebat. Îmi ispăşeam, pur și simplu, pedeapsa și evitam să mai am de-a face cu alt-cineva. Eram concentrat pe studiu și muncă, așa că timpul îmi trecea mai repede. Nimeni, nici măcar Gorila, n-avea nimic de împărțit cu mine. Și orice bătăi sau înjunghieri porneau de obicei de la droguri. Aveam doar doi colegi de celulă. Unul era un lituanian cu care fumam țigări rulate de noi, în timpul plimbării de o oră la care aveam dreptul. De felul meu nu fumam, însă conversația cu el era plăcută și mai uitam de plictiseală. Celălalt tip cu care vorbeam era un bărbat blând, tată a trei fete – fiecare cu altă mamă. Deși mie mi se părea foarte amabil și amuzant, foarte puțini dintre ceilalți deținuți îi vorbeau. Mi-am dat seama mai târziu că asta era din cauză că erau intimidați de trecutul lui violent.

Într-o seară, în timp ce măturam, Gorila mi-a făcut poanta lui tâmpită, trăgându-mi pantalonii în jos, iar reacția mea automată a fost să-i dau una zdravănă cu mătura, fără să mă gândesc la consecințe. El mi-a tras scurt doi pumni în gură, care m-au trimis un pas înapoi, dar i-am răspuns rapid cu doi pumni în bărbie, care l-au pus la pământ. În acel moment, am simțit imediat cum îmi sunt prinse ambele mâini la spate și cum suntem târâți amândoi în celulele noastre, de către doi paznici. A fost o intervenție extrem de rapidă.

A doua zi dimineață, tovarășul Gorilei mi-a făcut o vizită în celulă ca să-mi spună că o să apărem amândoi în fața directorului închisorii și că unul dintre noi sau amândoi, în funcție de cine se va stabili că e vinovat, va fi trimis sau vom fi trimiși la carceră – ceea ce nu-și dorea nimeni.

Eram încrezător că n-am să fiu eu acela: nu eu provocasem

bătaia; eram pe jumătate cât el; şi, în orice caz, în mod sigur se putea vedea exact materialul filmat de camera de supraveghere, nu? Şi totuşi, trebuia să fiu puternic şi să nu dau nici un semn de slăbiciune, aşa că l-am chemat pe colegul Gorilei şi i-am spus, pe un ton autoritar, să-i spună amicului său că am o idee despre cum am putea să ieşim amândoi basma curată în faţa directorului.

A doua zi dimineaţă, l-am întâlnit pe Gorila în sala de aşteptare din biroul directorului şi, acţionând conform scenetei pregătite de mine, am zâmbit şi l-am salutat. Mi-a zâmbit şi el şi m-a salutat. Avea maxilarul inflamat, cu umflături în ambele părţi, care păreau destul de dureroase.

— Deci, ce s-a întâmplat? m-a întrebat directorul.

— Făceam box, domnule.

Ne-a dat drumul amândurora şi, din ziua aia, Gorila mi-a dat mereu mai multă mâncare, pentru că el avea cel mai bun job, la bucătărie. Atitudinea lui s-a îmbunătăţit şi ea.

Păstrează Legăturile De Sânge – Sunt Pe Viaţă

După chinuitoarea mea călătorie prin Europa, când am ajuns în sfârşit în Anglia, abia aşteptam să-l revăd pe fratele meu mai mare. Nu-l mai văzusem pe Alex de când ajunsese în Marea Britanie şi nu comunicasem decât sporadic, la telefon. El avea acum paşaport estonian, un nume nou şi lucra pe un şantier de construcţii. Ajunsese rapid, de la simplu muncitor, la „maistru", cu un salariu mai mare.

Deşi Alex şi cu mine ne înţelegeam destul de bine când eram mici, nu-l mai văzusem de când plecasem la LIRPS, la doisprezece ani. El e cu patru ani mai mare ca mine şi, înainte să plec la şcoală, mă lua adeseori cu el la diverse întâlniri cu amicii lui, la filme şi chiar la discotecă. La optsprezece ani plecase în armată şi de atunci comunicam în principal prin scrisori. El îmi trimitea desene făcute de el, iar eu desene despre judo. Mi-a lipsit mult cât a fost în armată.

Îmi plăcea să-mi împărtăşesc performanţele sportive cu el şi îmi amintesc că i-am scris despre toate competiţiile pe care le-am câştigat împotriva colegilor, în primul meu an la LIRPS, când îmi mergea foarte bine.

La scurt timp după ce s-a întors din armată, a descoperit că nu prea are ce să facă în Moldova şi a plecat să lucreze la Moscova. Era acolo de câţiva ani când am avut ocazia de a ajuta pe cineva să ajungă în Anglia, aşa că am decis să aranjez să plece şi Alex, ca să poată avea o viaţă mai bună acolo.

ÎI ATRAGI PE CEI CARE ÎŢI SEAMĂNĂ ŞI DEVII CEEA CE GÎNDEŞTI

Am văzut îngeri cu chip de om. Ajunsesem în Austria cu un nou prieten, Slavic, şi ne ascundeam în Pădurea Vieneză, dar ne terminaserăm banii şi mâncarea şi eram aproape lihniţi. În cele din urmă, am reuşit să iau legătura cu un tip din Moldova. O trimisese pe prietena lui să se întâlnească cu noi şi să ne aducă la apartamentul lor.

Nu-i mai văzusem niciodată şi, când am ajuns acasă la ei, eram îngrozitor de murdari, împuţiţi şi obosiţi. În apartament locuiau cam patru tipi, plus două fete, care erau iubitele a doi dintre ei. Locuiau cu toţii într-un apartament cu două camere. În dormitor erau două paturi şi o saltea, şi în living o canapea extensibilă. Era destul de înghesuit. Urma să stăm acolo doar o noapte și ideea era ca ei să ne arate trenul cu care să ajungem în Italia. Slavic avea un unchi acolo, care ne putea găsi ceva de lucru și un loc unde să stăm. Deși acum mergeam în Italia, aveam în permanență în gând Anglia, ca țintă finală. Dar am hotărât să încerc să mă las în voia sorții și să mă adaptez la tot ce îmi oferă viața pe drum. În timpul carierei mele sportive fusesem în mai multe țări, inclusiv, de câteva ori, în Marea Britanie, unde rămăseseră câțiva dintre colegii mei de școală, care hotărâseră să nu se mai întoarcă acasă după o competiție. Se stabiliseră acolo și aveau slujbe bune, așa că, atunci când comparam viața și ocupațiile lor cu cele ale oamenilor pe care îi întâlnisem în călătoria mea de până atunci, mă simțeam categoric atras de Anglia.

Când am ajuns în apartamentul din Viena, una dintre fete ne-a spus cum intraseră ei în țară și ce să facem dacă suntem prinși de autorități. Ne-a spus cuvântul nemțesc pentru azil, *asyl*, pe care trebuia să-l spunem dacă eram prinși. Dacă le spuneam cine știe ce poveste cumplită, aveau să nu ne trimită înapoi acasă, ci să ne țină acolo, iar asta ne putea da șansa de a face rost de documente legale. Teoretic, părea că nu aveam de ce să ne temem că vom fi deportați în Slovacia sau Moldova.

Am pus ceasul la ora 6 dimineața, ca să putem ajunge la gară să luăm trenul de ora 8 spre Italia, spre unchiul lui Slavic din Verona. Chiar înainte să sune alarma, am fost treziți de o bubuitură puternică în ușă. Era un raid al poliției. Mi-am spus că, oricare ar fi prețul, n-am să ajung acasă și n-am să mă las deportat. Ne-am panicat și am fugit la fereastră, gata să sar de la etajul al treilea, iar Slavic s-a ascuns în șifonier. Însă până la urmă am renunțat, pentru că am fost asigurat că, dacă spun o poveste convingătoare, n-am să fiu deportat. Am fost conduși la secția de poliție, unde am cerut *asyl*. Am fost puși amândoi într-o celulă și ni s-a dat niște mâncare. În cameră erau un pat de metal și o masă cu scaune de metal. Nimic nu se putea mișca și nu avea margini ascuțite – totul era foarte sigur.

Unul dintre tipii din apartament ne spusese o poveste despre un tip care a fost eliberat din închisoare, după ce a furat mașini. Tocmai era pe punctul de a fi deportat, când a intrat în greva foamei. N-a mâncat cam două săptămâni și așa a scăpat de deportare. Aveam povestea proaspătă în minte, așa că am hotărât să nu mâncăm. Evident, habar n-aveam de ce și cât timp o să fim aici, dar știam că trebuie să facem uz de toate mijloacele cunoscute pentru a evita deportarea.

Le sunt și azi recunoscător acelor inși, ca și prietenelor lor, pentru că au venit cu noi la secție și ne-au explicat ce să spunem la poliție și ne-au tradus ce spuneau ofițerii de poliție. Ne-au fost de mare ajutor. Ne salvaseră din pădure, unde eram lihniți de foame, și ne dăduseră o șansă. Ne-au povestit despre toți cei pe care îi ajutaseră, ca pe noi, și cum nici unul dintre ei nu le-a spus pe urmă nici mulțumesc. Sunt sigur că ceilalți le erau, ca și mine, foarte recunoscători, însă foarte ocupați cu viața lor și, pur și simplu, au uitat să ia legătura cu ei și să le mulțumească. Dar sunt convins, karma va aranja totul așa cum trebuie.

Mă consider un om foarte norocos, având în vedere cât de mult m-au ajutat oameni necunoscuți. Poate e din cauză că și eu îi ajut pe cei aflați la nevoie.

Lucrurile se întâmplă atunci când oamenilor le pasă.

„Cere și ți se va da; caută și vei găsi;
bate și ușa ți se va deschide" Matei 7:7

După trei luni de așteptare și supraviețuire în nordul Italiei, am primit vestea cea mare de la fratele meu Alex. Găsise bani să-mi plătească drumul de la Bruxelles la Londra. Era momentul să-l părăsesc pe Max și mi-am pus în gând să profit de noua șansă oferită. Era important să eviți orice punct de verificare a pașaportului în timpul călătoriei. Fusesem informat că, dacă iei trenul de noapte și adormi, conductorul, om bine crescut, nu va avea inima să te trezească pentru a-ți cere pașaportul. Asta părea cea mai bună soluție. Gândul meu era să iau următorul tren disponibil ce pleca seara spre Bruxelles, și apoi alt tren, de la Paris. Trenul a plecat de la Milano în jur de opt seara, așa că aveam să ajungem la granița cu Franța în timpul nopții, când era absolut logic să fii adormit.

În seara aceea, pe peron, Max și cu mine ne-am făcut urări de bine și ne-am îmbrățișat cu putere, după care eu m-am urcat în vagon. Era din nou momentul să mă rog la Dumnezeu să mă ajute în acest moment de răscruce – în celelalte de până acum, asta mă ajutase. M-am dus în compartimentul meu. De fiecare parte a lui se aflau câte trei paturi stil cușetă. În cele de jos dormeau doi tipi cu trăsături asiatice. Era clar că erau imigranți – întâlnisem mulți până acum și-i puteam recunoaște deja de la o poștă. Mi-am dat seama că indivizii vor să facă exact ce aveam de gând să fac și eu – să treacă granița fără documente legale.

În compartiment era un miros înțepător, de ciorapi nespălați de mult, care îți muta efectiv nasul. În timp ce mă uitam în jur să-mi aleg patul, l-am auzit pe conductor chiar în spatele meu. Intrase înainte să apuc să „adorm", ceea ce era un moment extrem de nepotrivit. S-a uitat la tipii adormiți și mi-a cerut biletul și pașaportul. În timp ce eu îmi căutam biletul în geantă, el a pufnit din nas și a scos o cheie specială, cu care a deschis geamul cel mare, ca să iasă mirosul. Geamul cel mic, care era deja deschis, nu reușea deloc să împrospăteze aerul. M-am făcut că n-am auzit că mi-a cerut pașaportul și i-am înmânat biletul. El a repetat că vrea și pașaportul. Am început să caut „pașaportul" în geantă și apoi prin buzunare, în timp ce-mi cântăream opțiunile – ce-ar fi mai bine: să stau sau să fug chiar acum din tren? Până la urmă, am zis că mi-am uitat pașaportul și el mi-a cerut să-l însoțesc în compartimentul lui. L-am implorat să mă lase în tren și i-am spus că e foarte important pentru mine să ajung la Bruxelles. Când am ajuns în compartimentul lui, m-a întrebat câți bani am. Nu mai aveam decât cincizeci de euro, ascunși într-un buzunar interior de la chiloți. Am văzut pe fața lui că nu mă crede și, de asemenea, că nu-i convine deloc suma. Mi-am golit toate buzunarele și am scos tot ce aveam în rucsac ca să-i arăt că e tot ce am și, până la urmă, a cedat rugăminților mele.

Mi-a spus că deasupra patului de sus din compartimentul nostru se află un raft pentru bagaje. Mi-a poruncit să stau culcat pe raftul de bagaje și să nu mă clintesc de acolo tot drumul, nici măcar ca să merg la toaletă, până ajungem la Paris, dimineață. Când ajungem, o să vină să ia banii de la mine, pentru că până atunci era controlat și nu avea voie să aibă mai mult decât suma declarată asupra lui. Părea un plan bun, deși abia mai târziu aveam să înțeleg de ce voia să mă culc pe raftul de bagaje, și nu în pat.

Când m-am întors în cuşetă, am văzut că teoria mea legată de ceilalţi doi tipi era corectă. M-au întrebat imediat de ce am fost luat, dacă am paşaport şi ce mi-a zis conductorul. Mă recunoscuseră drept unul de-al lor. După ce-am vorbit cu ei, m-am dus la toaletă ca să fiu sigur că n-o să am nevoie în timpul călătoriei, am sărit în noua mea „lojă" şi la scurt timp am adormit.

Am fost trezit de o discuţie aprinsă în compartiment, dar, aşa cum mă învăţase conductorul, nu m-am clintit. Era poliţia de frontieră, care vorbea cu cei doi asiastici. Până la urmă, i-au luat cu ei. Acum eu eram cel norocos, m-am gândit. Dacă planul meu iniţial s-ar fi desfăşurat aşa cum voiam, nu l-aş fi întâlnit pe conductor şi poate că eram şi eu luat de paza de frontieră. Scăpasem ca prin urechile acului.

Am continuat să stau nemişcat. Era deja dimineaţă şi, la următoarea staţie, în cuşetă au intrat alţi pasageri. Erau francezi, două femei şi un copil. Şi-au scos nişte gustări şi nişte băuturi şi au început să vorbească, fără să-mi remarce prezenţa. Mi se învârteau în cap tot soiul de scenarii, cum ar fi, ce-o să se întâmple cu mine dacă îi dau ultimii mei bani conductorului? O să reuşesc măcar să ajung din staţia Gare de Lyon din Paris, unde am să ajung, la Gare du Nord, ca să iau de acolo trenul care să mă ducă la Bruxelles? Aveam să mă trezesc la Paris, fără opţiuni şi fără bani. Gândurile astea nu-mi dădeau deloc pace. Până şi ca să găsesc pe cineva care să mă ajute la Paris trebuia să dau nişte telefoane, pe care nu mi le permiteam.

Mi-a venit o idee: dacă reuşeam să cobor din trenul ăsta, puteam să iau alt tren spre Bruxelles. Ştiam că nu pot ieşi din cuşeta asta, pentru că era împotriva sfatului conductorului și cine știe ce putea face dacă mă vedea că încerc să fug – nu puteam să-mi asum nici un risc. Geamul cel mare era în continuare deschis, de când îl deschisese conductorul, ca să iasă mirosul. Puteam să ies pe geam! Era planul cu cel mai scăzut grad de risc și i-am mulțumit iar Domnului că mi-a preschimbat o altă problemă într-o oportunitate.

N-a fost un plan chiar lipsit de riscuri (așa cum veți afla în Capitolul 7, „Momentul potrivit"), dar până la urmă am ajuns la Bruxelles cu doar câțiva euro în buzunar. Mă plimbam prin gară, căutând un telefon cu monede, ca să pot suna pe cineva să vină să mă ia. Toate aparatele erau cu cartelă, așa că, pentru a suna, trebuia să cumpăr o cartelă. Problema era că cea mai ieftină costa 5 euro și că, după ce-mi cumpărasem un alt bilet spre Bruxelles, nu-mi mai rămăseseră decât 3,4 euro. M-am dus să caut o cartelă și nu m-am jenat deloc să cer una cuiva. Știam că eu n-aș avea nici o problemă să dau cuiva o cartelă telefonică pe care încă mai am câțiva euro.

Planul meu era să găsesc pe cineva care vorbește la telefon, să aștept până termină și să-i cer cartela dacă mai are credit pe ea, oferindu-i cei 3,4 euro pe care-i mai aveam. A funcționat! O tânără mi-a oferit cu amabilitate cartela ei aproape plină, de 5 euro, și n-a vrut să-mi accepte banii. Oamenii sunt pur și simplu incredibili.

Comunicarea și caracterul joacă un rol important când e vorba de cele mai importante abilități, mai ales cele necesare în antreprenoriat și afaceri, cu alte cuvinte, de lucrul cu oamenii. Să fii capabil să muncești în echipă, să delegi și să conduci sunt cruciale atunci când vrei să construiești ceva important.

Pentru a deveni un lider veritabil și a putea avea relații de succes cu cei din jur trebuie să ai capacitatea de a asculta. Iată o poveste adevărată: Era odată un băiat, fiul căpeteniei unui trib, care se ducea deseori cu tatăl lui la adunările tribului. Despre aceste adunări își amintea două lucruri: primul, că întotdeauna stăteau cu toții în cerc; și al doilea, că tatăl său vorbea întotdeauna ultimul.

Așa a răspuns Nelson Mandela la întrebarea cum a învățat să devină unul dintre cei mai mari lideri ai lumii.

Păstrează-ți părerea pentru tine până când a vorbit toată lumea. Această abilitate le dă tuturor sentimentul că au fost ascultați și că și-au adus contribuția la discuție și, de asemenea, îți dă ocazia de a afla gândurile tuturor.

Sugestii de lectură: *Comunicarea non-violentă*, Marshall B. Rosenberg; *Puterea minții tale subconștiente*, Joseph Murphy; *Argumente câștigătoare*, Jay Heinrichs; *Gândire rapidă, gândire lentă*, Daniel Kahneman.

5

ASPIRAȚII

Dacă vrei să faci o schimbare, va trebui să pleci de
la o nouă credință, care spune că viața nu mi se
întâmplă mie, ci se întâmplă pentru mine.

– Tony Robbins

ÎNTOTDEAUNA SĂ AI în minte un țel sau un vis. Nu lăsa acel țel să se irosească fără a fi împlinit – privește-l, miroase-l, gustă-l, simte-l ori de câte ori închizi ochii. Dacă n-ai unul, găsește-ți – oricât de ridicol sau de intangibil crezi că e.

Cere ajutorul celorlalți. Nu te plimba prin oraș căutând o stație de benzină fără să ceri indicații cuiva.

Citește istorii și biografii ale celor care au reușit deja să facă ce-ți dorești să faci tu – întotdeauna există cineva care a făcut deja asta sau ceva asemănător. Găsește acești oameni, interesează-te despre evenimentele pe care le organizează și participă și tu.

Fă tot ce poți și ai răbdare – când faci lucrurile așa cum trebuie, din toată inima, lucrurile care trebuie vor apărea în calea ta.

SIMTE FRICA ȘI FĂ-O ORICUM

În primăvara lui 2004, când aveam nouăsprezece ani, eram profund dezamăgit de cât de nesatisfăcătoare și defavorizată părea să fie viața mea după ce obținusem la judo rezultate la care doar visam cu cinci ani în urmă. Dezamăgirea mi-a afectat atitudinea și concentrarea la antrenament – drept urmare, câștigam tot mai puține medalii de aur. Îmi pierdusem motivația și am început să mă gândesc că trebuie să fac o schimbare: să fug în străinătate. Trebuia să găsesc un ghid pas cu pas despre cum să trec granița. Nu aveam prea multe opțiuni – nu-mi permiteam să plătesc o organizație să mă treacă dincolo. Unica rută posibilă era „pe jos".

„Pe jos" însemna să găsești o cale de a te apropia de frontieră și să o treci cumva, traversând-o la pas într-o zonă cu mai puține controale de frontieră, sau ascunzându-te într-o mașină, sau înotând ori trecând fluviul cu barca. Dacă cineva reușea să treacă, crea astfel o rută, cunoscută drept „canal". Aceste canale se schimbau deseori, pentru că, la scurt timp după ce era găsit unul nou, acesta era repede descoperit de autorități din cauza numărului mare de oameni care dădeau năvală prin el. De regulă, un canal putea fi folosit între șase luni și un an jumate.

Un prieten de-al meu, cu multe legături printre „drumeți", a stabilit o întâlnire cu unul dintre amicii lui, care să-mi dea informații despre un canal destul de nou, pe care l-aș putea folosi. Trebuia să fie ceva mai sigur decât niște zvonuri. Era o întâlnire cu cineva care o făcuse efectiv și mă simțeam binecuvântat pentru șansa oferită.

În timp ce el îmi dădea indicații, îmi notam.

— În primul rând, îți iei o viză pentru Slovacia – e destul de ușor și ieftin să faci asta acum. Am auzit că în următoarele șase luni-un an o să intre în UE, așa că ai ceva timp. Slovacia are graniță cu Austria, și asta e poarta ta de intrare.

A continuat să-mi dea toate celelalte detalii: cum să iau un microbuz spre Bratislava, după care să mă îndrept spre o clădire uriașă cu o reclamă la Coca-Cola, să trec pe sub piciorul unui pod de peste un câmp verde, să traversez un râu și, în final, să mă urc într-un vagon al unui tren de marfă plin cu bușteni, fier vechi și maculatură, și să mă ascund în el. Ăsta avea să mă ducă în Austria. Riscul era mare – alții își rupseseră picioarele, se asfixiaseră și câțiva chiar muriseră.

Mi-a dat atât de multe amănunte despre cum să verific corect numărătoarea vagoanelor dintr-un motiv întemeiat – dacă mă suiam în trenul greșit, ajungeam în est, undeva prin Belarus! De obicei, trenurile veneau și plecau regulat, dar unele așteptau aici zile întregi, așa că, dacă te ascundeai în tren și el nu pleca într-o oră, trebuia să te dai jos și să găsești altul. Când trenul sosea la granița austriacă, era temeinic verificat, circa patruzeci de minute, așa că era important să te sui într-un tren de seară, ca să fii mai greu de văzut.

După ce se termina controlul la frontieră și trenul pleca, era mai sigur să ieși din ascunzătoare. Peste patruzeci de minute, trenul intra într-un depozit, și te aflai la Viena. Ideea era să sari din tren când încetinea, înainte să ajungă în depozit. Oricum, din cauza apropierii de Slovacia, poliția de frontieră era foarte activă şi reacţiona foarte rapid când exista un nivel ridicat de activitate imigraţională. Pe de altă parte, localnicii raportau şi ei toate persoanele dubioase. Aşa că era nevoie să-ţi schimbi hainele, ca să arăţi cât mai îngrijit şi să nu baţi la ochi.

Alte indicaţii se refereau la faptul că trebuia să sari din tren pe partea stângă, către parapetul de pe autostradă, care ducea spre o suburbie a Vienei, şi de-acolo hotărai singur încotro o iei. Puteam aştepta lângă pădure să mă ia de acolo cineva, dar nu prea mult, fiindcă localnicii puteau să mă vadă şi să mă raporteze. Din acel punct, aveam de ales, fie să pornesc pe jos spre Italia, fie să fur o maşină de undeva din apropiere. Sau să mă duc în oraş şi să cer azil autorităţilor, dar trebuia să mă aflu deja în oraş, altfel eram imediat deportat. Era bine să am la mine haine de schimb şi doar nişte batoane Snickers sau biscuiţi de ovăz de mâncare, pentru că ambele erau o sursă bună de energie.

IGNORĂ REALITATEA NEPLĂCUTĂ

Ultima competiţie la care participasem fusese un eşec. Trupul şi mintea mea erau concentrate doar asupra călătoriei din viitorul apropiat şi asupra oportunităţii posibile. Am fost bătut de un luptător pe care în mod normal l-aş fi bătut. Şi asta a contribuit la hotărârea mea de a pleca din ţară.

Conştiinţa mea îmi spunea: „Nu te mai aşteaptă nimic aici, ai pantofii rupţi şi arăţi ca dracu' în hainele astea second-hand. Uită-te la rezultatele tale; azi ai pierdut, clubul nu mai are nevoie de tine la competiţiile internaţionale şi o să-l ia doar pe tipul care te-a bătut, deşi tu eşti cel mai bun din categoria ta! Trebuie să pleci şi să nu te mai întorci niciodată. Nu te mai aşteaptă nimic aici, pe când, într-o ţară în care ţi se oferă şansa, poţi face mult mai multe."

În ciuda deciziei şi a determinării mele de a-mi duce planul la bun sfârşit, spaima de schimbare nu mă părăsea şi avea şi ea un cuvânt de spus: „Trebuie să te concentrezi la judo-ul tău! Eşti foarte bun şi ai şansa să ajungi la Campionatul Mondial şi chiar la Olimpiadă, dacă te antrenezi suficient de mult. Dacă o să câştigi, o să vină şi recompense financiare şi ai putea chiar să primeşti un apartament, ca unii dintre judocanii pe care îi cunoşti. Poate chiar mai mult de-atât, trebuie doar să te concentrezi şi să te antrenezi suficient de intens. Nu te duce acolo, nu te aşteaptă nimeni. Nu cunoşti limba şi nu ţi se va oferi o şansă adevărată, cum ai aici. E o prostie să schimbi ceea ce ai cu o simplă speranţă, care n-are nici o valoare reală. Dacă eşti prins şi azvârlit în puşcărie? Atunci ai să-ţi pierzi singurul lucru pe care-l ai în clipa asta – nivelul profesionist în judo. Sau închipuieşte-ţi că te răneşti sau păţeşti ceva şi mai rău – merită toate riscurile astea să fie puse în balanţă cu o simplă speranţă? Eşti un mare idiot!"

Mă simţeam foarte confuz şi nu ştiam ce să fac. În ciuda performanţei mele scăzute, nu era o competiţie importantă şi conducătorii clubului nu aveau probabil să-i acorde prea mare atenţie. Aveam să câştig următorul turneu naţional, pentru a-mi reîntări poziţia. Dar dacă asta nu se întâmpla? Singurii mei pantofi aveau găuri în talpă şi nu-mi permiteam o nouă pereche, de calitate. Nu-mi plăcea să-mi cumpăr haine ieftine. Mi-a venit în minte un distih de Omar

Khayyam: „Mai bine mori de foame decât să mănânci orice, și mai bine să fii singur decât cu oricine".

M-am hotărât să dau cu banul, așa cum făceam de obicei când aveam de luat o asemenea decizie, în care ambele opțiuni aveau aceeași greutate. Cap, plec, pajură, rămân... Cap! Oleg era unul dintre prietenii mei și mi-era ca un frate, în care puteam avea încredere și cu care puteam împărtăși totul. Când cunoști pe cineva de la școală, de când era mic, ajungi să îl vezi în tot felul de împrejurări și în diverse situații de viață, mai ales cele cu adevărat grele. Eram puternici atâta vreme cât eram uniți în orice împrejurare, iar asta ne făcea să fim ca frații. Crescuserăm împreună și aveam foarte multe interese comune. Când i-am schițat planul meu, i-a plăcut ideea și a hotărât să vină și el cu mine.

Primul pas era să găsim un motiv credibil cu care să ne obținem pașapoartele de la conducere. Pașapoartele noastre se aflau întotdeauna la conducerea clubului, pentru că aceasta se ocupa să obțină toate vizele pentru competițiile din străinătate și făcea toate planurile de antrenament. Noi n-aveam ce face cu pașaportul, așa că el rămânea mereu la conducere. Le-am spus că mergem cu părinții mei la mare și, din fericire, nu aveam nici un concurs planificat în următoarele câteva luni, așa că au fost de acord să ne dea pașapoartele. Ne-am dat pașapoartele unei agenții de turism și am așteptat două săptămâni să primim vizele. În acest timp, ne uitam zilnic pe secțiunea cu Europa din atlas, făcându-ne planurile de călătorie.

Așa cum am spus deja, viza mea a întârziat, așa că Oleg a plecat singur. Canalul a funcționat, dar el a fost prins și trimis în azil în Austria. Cu o săptămână înainte să mă pregătesc să plec singur, unul dintre foștii mei antrenori de judo de la LIRPS (un tip spre patruzeci de ani) a hotărât să vină și el cu mine cu încă doi amici de-ai lui, unul de patruzeci și puțini de ani și celălalt de douăzeci și ceva.

Drept haine de schimb acceptabile, cu care să plecăm în această „drumeție", aveam un echipament sportiv pe care îl primisem recent de la o companie, printr-o sponsorizare. Echipamentul era făcut dintr-un material ca de mătase, de un verde salată, care se purtase cu cel puțin patru ani în urmă. Nu eram deloc la modă, dar din punct de vedere practic era ideal. Un prieten pe nume Igor ne-a „împrumutat" rucsacul lui de calitate. Avea o curelușă suplimentară care se fixa cu o clemă pe piept, ceea ce-i permitea rucsacului să rămână bine lipit de spatele tău când alergai. El nu ne cunoștea planul real și nici n-aveam cum să i-l mai putem da înapoi.

Mi-am pus în rucsac hainele de schimb și proviziile. Pentru că habar n-aveam dacă o să mă mai întorc vreodată în țara mea, am decis că ar fi bine să le fac mai întâi o vizită părinților mei. Adesea evitam să mă duc acasă din cauza problemei lor cu alcoolul și nu îi prea vizitam decât în vacanța de vară, dacă nu mă pregăteam pentru nici un concurs; în rest, doar din când în când, pentru scurt timp.

După două zile și o noapte cu părinții mei, după discuții lungi și amintiri din trecut, mama m-a condus la poartă, unde m-a sărutat de rămas bun și m-a îmbrățișat, cum făcea de fiecare dată când plecam. Dacă ar fi știut că asta va fi ultima oară în care mă vor vedea în următorii zece ani, m-ar fi condus probabil amândoi la stația de autobuz. Știam că ea poate păstra secretele, chiar și de tata, și simțeam dorința de a-i spune ce vreau să fac. Însă de data asta era altfel: poate că aveau să încerce să mă oprească sau să-și facă prea multe griji pentru mine dacă știau ce am de gând să fac (și cum anume). În ziua plecării, aveam inima îndoită. Am ajuns cu două-zeci de minute mai devreme decât ora la care stabiliserăm să ne întâlnim la hotelul Inturist din Chișinău și am așteptat să vină și ceilalți. Mă simțeam aproape normal, doar relativ emoționat la gândul călătoriei. Am plecat repede și, după zece ore de condus, am ajuns la Bratislava.

ARDE PODUL

E mai ușor să-ți atingi țelul după ce ai făcut primul pas.

Bratislava era ultima oprire din prima parte a drumului. Încă nu se lăsase seara și am găsit cu ușurință clădirea cu panoul Coca-Cola și apoi piciorul de pod despre care ni se vorbise. Planul meu inițial era să mă duc direct la Dunăre și să mă sui într-un vagon sau măcar să aștept trenul potrivit pentru a ajunge la destinație cât se poate de repede. Mă durea sufletul de fiecare ceas irosit.

*Însă am s*fârșit prin a ne lua o cameră împreună la un motel aflat la câteva minute de „locul X", fiindcă aflasem că trenul în care trebuia să sărim avea să plece abia a doua zi. Vreo doisprezece tineri aveau același plan ca și noi și aștep-tau să treacă granița în același fel. Mulți dintre ei erau aici de săptămâni întregi și unii chiar *și* de mai mult timp – până la trei luni. Dormeau într-un parc din apropiere și mâncau tot soiul de prostii în timp ce așteptau momentul și trenul potrivit, cu încărcătura dorită. În fiecare seară, veneau la

„locul X" și așteptau trenul. Cunoșteau mersul trenurilor și văzuseră o mulțime de drame – auziserăm povești despre oameni care fuseseră răniți și despre tipi morți prin electrocutare. Ne-au povestit despre oameni care încercaseră iar și iar, în zadar. Am încercat să nu dau atenție acestor povești. Eram aici ca să-i urmez pe cei care trecuseră dincolo *cu succes*, așa cum făcuse și Oleg, din prima.

Aceste povești îi influențau negativ pe tovarășii mei de drum. Cei mai în vârstă s-au hotărât să nu-și riște viețile și viitorul familiilor (poate că aveau dreptate) și au renunțat. Ei nu se aflau în poziția mea și nu-și arseseră toate podurile cu trecutul, ca mine, și duceau o altă viață decât duceam eu. Motivația lor nu era atât de solidă ca a mea și a fost spulberată de poveștile de groază pe care le-au auzit.

Cel mai tânăr a fost și el afectat de aceste povești și n-a mai vrut să meargă mai departe, însă cei mai în vârstă l-au convins în timpul serii să vină totuși cu mine. Pentru că era o zonă de graniță, trebuia să ai mare grijă și să te miști cu atenție, ca să nu fii văzut. Ne-am târât cu capetele în jos printr-un câmp cu iarbă, măturat de un reflector. Apoi ne-am apropiat de fluviu. Avea malurile pline de tufișuri și iarbă înaltă, ceea ce le făcea o ascunzătoare foarte bună cât așteptam trenul, și toată zona era ticsită de oameni. Deși nu vedeai pe nimeni, simțeai limpede și le auzeai prezența, șoaptele și respirația. Se auzea multă rusă, ucraineană și moldovenească.

Trenul „potrivit" n-a venit în seara aia. Am aflat că trenul care trecuse transporta trei bușteni uriași. Ar fi fost extrem de periculos să sari în el în mișcare și mai mult ca sigur ai fi fost zdrobit de unul dintre buștenii imenși. În noaptea aia eram încă plin de energie și am luat experiența ca pe o încălzire înainte de marea provocare. Dacă n-aș fi fost asigurat de „profesioniști" că trenul ce urma să vină a doua zi era mai sigur, sunt convins că aș fi sărit în trenul cu bușteni. M-a mirat cât de informați erau acei indivizi, deși nu se vedea nici o mișcare. Așteptau, pur și simplu, o ascunzătoare sigură. Însă eu știam că încărcătura mai sigură avea să fie cercetată mai amănunțit, așa că nu „confortul" era țelul meu.

NU-ȚI PIERDE ȚELUL DIN OCHI ȘI MERGI ÎNAINTE

În cele din urmă, m-am urcat în trenul „potrivit" împreună cu alți câțiva tipi (tânărul cu care venisem a renunțat până la urmă) și, după un drum foarte neplăcut, am ajuns în Austria și am sărit din vagonul murdar, rece și plin cu fier vechi la marginea pădurii despre care mi se spusese. Zona, care făcea parte din celebra Pădure vieneză, arăta ca un adăpost improvizat! Mai multe crengi subțiri serviseră evident drept culcuș. Peste tot erau haine, care bănuiam că sunt murdare de la drumul cu trenul și fuseseră lăsate acolo de călători ca și noi. În jur erau, de asemenea, aruncate ambalaje și alte gunoaie. Era în mod limpede o rută bine bătută. Adrenalina din sânge ni s-a potolit și ne-am dat seama că suntem cu toții obosiți și că avem nevoie de un somn bun. Am adunat și noi niște crengi, pe care le-am așezat în forme dreptunghiulare, pe post de pat, și ne-am culcat.

Era sfârșitul lunii aprilie 2004 și nopțile erau destul de reci. M-a trezit un vânt rece, tăios și dureros, ce-mi șuiera în ureche şi-mi ajungea drept în creier. M-am uitat în jur şi am găsit un pulover aruncat şi un aparat de ras. Am tăiat cu lama o mânecă şi mi-am pus-o pe cap, peste urechi. În zori, eram deja treji cu toţii, înnebuniţi de foame, şi am pornit prin pădure, căutând ceva de mâncare. Doi tipi au găsit nişte ouă mici pestriţe, pe care le-au mâncat imediat.

Am mai găsit şi alte cuiburi şi nişte dispozitive mari, de hrănit păsările, special amenajate, plus nişte instalaţii din care acestea să bea apă. Am remarcat cât de frumoasă era natura din jur. Mirosul ierbii proaspăt tăiate ce se simţea în aer mi-a amintit de patria mea. Iepurii ce ţopăiau prin pădure şi căprioarele ce se plimbau agale arătau exact ca în desenele animate la care mă uitam când eram mic. În ţara mea, nu puteai vedea aceste animale decât dacă vânai, ceea ce eu nu făceam niciodată. Aici aveai un sentiment de linişte şi pace, că e un loc în care oamenilor le pasă de natură şi au grijă de ea. Iarba era frumos tăiată şi tufişurile erau îngrijite, de parcă ar fi făcut parte dintr-o fotografie frumoasă, făcută de un artist. Copacii, tufişurile, iarba, animalele şi casele pe care le vedeai în depărtare păreau că se află exact în locul în care trebuie, ca şi cum ar fi fost aşezate exact la locul potrivit, într-un design fără cusur.

Însă a doua zi dimineaţa lucrurile arătau puţin diferit. Ne aflam într-o pădurice destul de mică şi, în depărtare, păreau să se afle case. Obiectiv vorbind, era greu să ne închipuim cum am putea ajunge într-un loc sălbatic, în care să ne pierdem urma – fie eram prinşi, fie avea să ne ia luni de zile. Trebuia să găsesc pe cineva care să ne ajute. Mi-am scos mica agendă organizer. (Azi mă amuză când le văd. Erau foarte utile, dar au dispărut imediat după ce toată lumea şi-a luat mobil.) Îmi plăcea fiindcă era foarte practică, avea doar 6 cm pe 3. Îmi notasem în ea numele și telefoanele prietenilor și ale prietenilor prietenilor, care mi-ar fi putut fi de ajutor în călătoria mea. O asemenea persoană era un tip din Roma, care îmi putea da 100 de dolari pe care îi datora lui Vitalic, un bun amic de-al meu. Până la urmă chiar m-am dus la el să iau banii, după care lucrurile au luat o întorsătură neașteptată.

M-am hotărât să ies din ascunzătoare, să găsesc un telefon și să dau câteva telefoane, pentru a găsi pe cineva care să poată veni să ne ia din locul ăsta. Arătam cu toții ca niște coșari, cu fețele și hainele pline de rugină, din tren. Din nefericire, nici unul dintre ceilalți nu avea haine de schimb, așa că s-au mulțumit doar să și le scuture, să mai dea jos din mizerie. Eu eram singurul cu haine de schimb, așa că mi le-am pus. Nu era apă nicăieri, așa că m-am dus la locul din care beau apă păsările și m-am spălat pe față cu apa respectivă, ca să arăt decent și curat când mă duc să caut un telefon sau ce puteam găsi, care să ne ajute să plecăm de aici.

Costumul verde salată s-a dovedit de mare ajutor. Când am plecat să dau telefon, am început să mă plimb și să execut niște întinderi, să fac jogging și să lovesc aerul cu pumnul în stil de boxer, ca un sportiv adevărat. Am estimat că am să ajung în oraș în vreo jumătate de oră. La fiecare mașină ce trecea pe lângă mine, mă traversau niște fiori reci. Mai ales că nu erau prea multe și părea că în toată regiunea nu suntem decât mașina și cu mine. Mă simțeam lipsit de protecție și amenințat de posibilitatea de a fi raportat.

O tânără a trecut pe lângă mine făcând jogging și am fluturat din mână spre ea în timp ce mă depășea. Am observat că a fluturat și ea din mână, așa că i-am salutat la fel și pe următorii doi joggeri, care m-au salutat și ei. Planul meu funcționa, și eram ușurat. De atunci încolo, ori de câte ori mă duceam să dau un telefon, făceam la fel. Până la urmă, după ce am fugit așa cam o oră, am găsit o cabină telefonică. Am făcut rost de mărunt de la un magazin din sat și am început să sun la numerele din agendă.

După două zile și cam cinci drumuri până la cabina telefonică, tot nu găsisem pe nimeni care să poată veni să ne ia. Îmi petreceam aproape o jumătate de zi în sat, sunând la diverși. Dacă nu răspundea nimeni, mai încercam o dată peste câteva ore sau, dacă tot nu răspundea, sunam iar a doua zi. Unii dintre cei care au răspuns habar n-aveau unde suntem, pentru că Viena e un oraș mare și sunt multe gări aflate lângă o pădure. Explicațiile mele geografice nu i-au ajutat să ne localizeze cu precizie. Aveam prea puține informații despre orașul respectiv, așa că l-am descris vizual și bănuiesc că amănuntele pe care le-am dat îl făceau să semene cu multe alte sate sau orașe austriece.

Nu era vorba doar de faptul că era greu de găsit locul unde eram; probabil că le era de asemenea greu să se hotărască să vină și să ia la ei cinci persoane pe care nu le cunoșteau, fără să aibă habar ce va urma. Oamenii erau ocupați cu viața lor. Nici unul dintre cei cu care venisem nu avea bani, iar cei 200 de euro ai mei s-au dus, încet-încet, pe telefoane. N-am mai cumpărat mâncare, ca să încerc să trag de bani cât pot, pentru că nu știam cât o să rămânem aici. Nici ceilalți nu aveau mâncare la ei, așa că am încercat să ținem cât putem de batoanele de Snickers și de biscuiții de ovăz.

Cu fiecare drum în sat, eram tot mai lipsit de puteri, de la foame și sete, și uneori beam apă din câte-o băltoacă. Nici de alergat nu prea mai eram în stare și simțeam mici con-tracții musculare de la subnutriție. Am hotărât că trebuie să acționăm, pentru că speranțele că vom fi salvați de cineva scădeau cu fiecare drum în sat, fără succes. Dacă rămâneam aici, aveam să murim de foame.

Până în acel moment, speraserăm cu toții că planul meu va da roade și că vom fi salvați. Când asta nu s-a întâmplat, unitatea și spiritul de echipă s-au spulberat și am simțit în atmosferă că fiecare începea să-și facă propriul său plan. Însă asta nu mă deranja. Mă împrietenisem cu Slavic, unul dintre tipi, iar el avea un prieten care avea un prieten care trăia și muncea în Austria, și era sigur că acesta va ști unde ne aflăm și cum să ne găsească. Între timp, ceilalți trei s-au hotărât să plece în oraș, să fure o mașină și să se care. Ne-am despărțit și le-am dat 40 de euro din cei 160 care-mi rămăseseră, ca să-și cumpere mâncare. Rezerva mea de Snickers și biscuiți se terminase puțin mai devreme, în acea zi.

Slavic și cu mine am rămas în pădure. Când am auzit voci pe un câmp din apropiere, am ieșit dintre copaci și, uitându-ne în josul dealului, am văzut niște tineri făcând un picnic în asfințit. Știam că or să lase în urma lor niște mân-care în care să dăm iama, și poate și niște sticle de băutură. La cât de lipsiți de energie eram, asta era o soluție ideală. Am așteptat ore întregi, care ni s-au părut și mai lungi.

Am avut o groază de timp în care să ne povestim de unde venim și viețile de până atunci. Și ne-am imaginat cum ar fi să ne năpustim asupra acestor oameni aflați la picnic, ca niște lupi flămânzi, și să bem și noi ce beau ei.

Am fost mirați de cât de bine crescuți erau acei tineri. Au stat până târziu la picnic, și au mâncat și au băut până târziu în noapte, dar n-au lăsat absolut nimic în urma lor, nici măcar un șervețel – după plecarea lor, locul arăta exact ca înainte! Era clar că sunt o specie cu totul diferită de tineri decât cei cu care eram obișnuiți noi – foarte bine educați și crescuți de școala și părinții lor. Am sfârșit prin a suge seva ierbii, din nou, înainte de a ne culca. Era a patra noastră zi în pădure și simțeam că ne pierdem mințile. M-am dus iar la telefon. Avea să fie ultima oară. A fost și cel mai greu, pentru că eram atât de slăbit și de istovit că n-am mai putut să fac nici o mișcare sportivă și m-am concentrat mai mult pe supraviețuire decât să nu fiu prins. L-am salutat pe amicul lui Slavic, care mi-a răspuns, în sfârșit, și i-am explicat cine sunt, din partea cui sun și l-am întrebat dacă poate veni să ne ia. Știa exact unde suntem, cum să ajungem în următoarea gară și unde să sărim din tren, ca să ne putem întâlni cu prietena lui, când se întoarce de la muncă. Trebuia să așteptăm până la ora 7 seara pe un anume peron, de unde să vină ea să ne ia.

Ne lua o jumătate de oră să ajungem la stația la care stabiliserăm să ne vedem cu prietena lui. Am plecat cu două ore mai devreme, ca să fim siguri că nu pățim nimic pe drum. Am urmat toate instrucțiunile pe care le aveam și am sărit în tren. A fost ciudat să-i vedem pe geamul vagonului, chiar atunci, pe cei trei amici ai noștri spărgând o mașină parcată pe drum. Engleza mea, pe care o tot exersasem înainte de a pleca din Moldova, ne-a fost de mare ajutor când am cumpărat biletul și am întrebat cum să ajungem la stația respectivă și la peronul pe care trebuia să așteptăm. Prietena tipului era deja acolo. Știa cine suntem, dar, ca să fie sigură, ne-a întrebat pe cine așteptăm, după care ne-am urcat cu toții în autobuz, spre apartamentul lor.

Pași De Făcut Înainte De A-Ți Duce Misiunea La Bun Sfârșit

Când am ajuns, într-un final, în Marea Britanie, am aflat că Alex, fratele meu mai mare, obținuse pașaport estonian și muncea pe un șantier. La ceva timp după asta, a fost arestat și închis într-un centru de detenție, pentru a fi deportat. Am fost foarte supărat. Deși aveam prieteni, îl iubeam și era singura mea rudă din Anglia. Știam și că nu strânsese destui bani ca să aibă din ce trăi dacă era deportat, și mă durea inima.

Într-o zi, am primit o scrisoare de la el, în care-mi povestea planul lui de evadare. Avea de gând să sară de pe acoperișul centrului de detenție și peste două garduri. Voia să-l aștept în mașină, gata să demarez.

Am stabilit împreună detaliile, unde să aștept și un limbaj codificat pe care să-l folosim.

A sosit ziua evadării și am pornit la drum cu prietenul meu, Victor. Ne încerca o ușoară frică, dar eram hotărâți să ducem planul la îndeplinire. Nu ne gândeam ce am putea păți noi. Speram doar ca Alex să reușească. Am ajuns la locul de întâlnire chiar la lăsatul întunericului și am așteptat, cu farurile stinse. Eram gata să plecăm imediat și m-am dat jos, să mă uit după Alex. La ora asta, începusem deja să-mi fac tot felul de gânduri: „Dacă e prins, ce-or să-i facă? Dacă are un accident în timp ce se suie și sare peste gardurile alea înalte, de sârmă ghimpată?"

Deodată, am auzit un zgomot și am simțit niște mișcări grăbite, la vreo sută de metri de mine. Am pornit încet în direcția respectivă. S-a auzit un zgomot puternic, de crengi scuturate şi trosnind, dinspre nişte tufişuri. Am şoptit destul de tare „Alex, tu eşti?" Nu-mi venea să cred cât de fericit eram şi ce aiurea era toată situaţia. Ne-am îmbrăţişat cu putere, ne-am suit repede în maşină şi am demarat cu farurile stinse până când am ajuns la şoseaua principală. Până la jumătatea drumului către casa noastră din Ilford, din estul Londrei, nu ne-a venit să credem ce se întâmplă şi ne uitam întruna în spate să vedem dacă ne urmăreşte cineva.

Hotărăşte singur cât e de important un lucru şi fă primul pas – pune-ţi ochelari de cal, ca la o cursă, şi nu privi niciodată în părţi sau înapoi. Să nu priveşti în urmă înseamnă să nu te compari niciodată cu altcineva.

Nu trebuie să încerci niciodată să fii mai bun decât altul; trebuie să încerci mereu să înveţi de la alţii.
Dar nu trebuie să încetezi niciodată să fii cât de bun poţi să fii, pentru că doar tu poţi controla acest lucru, şi nu altcineva.

– John Wooden

Sugestii de lectură: *Simte frica şi fă-o oricum*, Susan Jeffers; *Benjamin Franklin*, Walter Isaacson; *Cum să duceţi lucrurile la bun sfârşit*, David Allen.

6

NECESITATE

*Există lucruri pe care trebuie să le
obţii înainte de-aţi putea împlini visul
şi lucruri care te împiedică să faci primul pas.*

PROBLEMA E CĂ suntem atât de prinşi cu lucruri urgente *fără importanţă*, cum ar fi să plăteşti facturile, să speli maşina, să cumperi diverse prostii, în loc să faci lucrurile *importante*, care nu sunt stringente, cum ar fi să-ţi scrii cartea sau să faci *câţiva paşi în direcţia afacerii pe care o visezi*. Gândeşte-te în permanenţă la ţelul tău. Ca un pilot ce manevrează avionul pentru a ajunge la destinaţie, în ciuda vântului şi a turbulenţelor, trebuie să ai mereu în minte ţelul tău.

TOTUL E DIFICIL ŞI TOTUL E POSIBIL

Mă aflam în tren, de la Bratislava spre Viena, culcat la baza unui morman de fier vechi, aşteptând în tăcere. Când i-am auzit pe paznicii de frontieră apropiindu-se, unul dintre cei ascunși lângă mine a început să tușească dureros. Am sărit imediat la el să facă liniște, însă el tot a mai tușit de câteva ori. Speram doar că nu va fi auzit și că se va opri. Mi-am adus aminte de fimele alea de groază în care un actor face un zgomot neașteptat chiar în momentul celui mai mare pericol și e prins sau omorât. Acum trăiam scena pe pielea mea. S-a oprit din tușit chiar în clipa în care lumina unei lanterne a trecut pe deasupra noastră, și paznicii au plecat. Din fericire, scăpaserăm, dar a trebuit să mai așteptăm puțin până să ieșim din ascunzătoare.

Imediat după ce trenul a pornit de la graniță, dorința de a ieși de sub mormanele de fier a fost copleșitoare – era ca și cum te-ai fi înecat și-ai fi fost disperat să ieși la suprafață, să respiri. Metalul îmi intrase în tot corpul și aveam deasupra capului o roată de mașină, care mă presase atât de tare că nu mă mai puteam mișca. Speram ca tipul cu care aranjasem să mă scoată de sub fier e OK. Dacă pățea ceva, aveam să rămânem blocați aici cine știe cât timp.

Trebuia să ieșim din ascunziș imediat ce treceam de controlul de frontieră, ca să putem fi gata să sărim din tren chiar după ce ajungeam în gara centrală și trenul încetinea. Așteptam, însă nu vedeam nici un semn dinspre cel care trebuia să mă ajute să ies. Probabil rămăsese și el blocat unde era și nu reușise să iasă. Trebuia să sărim din tren înainte de a ajunge în gară, dar eram captivi sub metal.

Când eram mic, bunicul meu, care era baptist și preot, mă învățase despre Dumnezeu. Îmi povestea despre Isus, David, Solomon, Judecata de Apoi și toate celelalte. La o vârstă foarte fragedă, desenam deja ilustrații pentru cărți pentru copii cu povești din Biblie.

Acest lucru m-a influențat și mă duceam mereu la biserică duminica, atunci când eram acasă, și uneori la Chișinău, când eram la LIRPS. În fiecare noapte spuneam Tatăl Nostru și vorbeam adesea cu Dumnezeu despre nevoile și dorințele mele. Adeseori, dacă dorințele mi se împlineau sau o anume situație se rezolva, ziceam că e meritul Celui de Sus și îi mulțumeam. Pe măsură ce am crescut, mi-am dat seama că o situație aparent neplăcută se dovedește adesea una pozitivă, așa că am început să mă rog la Dumnezeu mai puțin pentru lucrurile pe care le doream și mai mult pentru lucruri care să fie bune pentru mine. Acum am o viziune un pic diferită despre asta, deși cred că există o energie care ne înconjoară și care se află în noi – oamenii o numesc Dumnezeu.

În timp ce mă aflam sub mormanul de fier vechi din vagon, când s-au apropiat paznicii de frontieră, am început să vorbesc cu Dumnezeu, să-l rog să mă scoată din situația asta – cea mai cumplită în care fusesem, în viața mea. Dacă scăpam acum, totul avea să fie bine și am promis să devin un om mai bun. (Mă rog, cred că așa facem toți când ne aflăm la necaz.)

Deodată, am auzit o voce care mi se adresa și niște zgomote de metal zăngănind. Tipul începuse să dea metalul la o parte. Se pare că fusese și el prins sub metalul de deasupra lui și abia reușise să iasă. Am aflat apoi că insul care tușise o făcuse din cauză că o bucată de metal îi intrase adânc în coaste. Am reușit, de bine de rău, să ne eliberăm și, în clipa în care trenul a încetinit înainte de a ajunge în gară, am sărit și am pornit înspre câmp.

Am văzut că ne aflam în pădurea despre care ni se spusese. Nu mă simțisem în viața mea atât de liber. Mă aflam la o răscruce din viață, în care puteam pleca spre Italia, Franța sau orice altă țară europeană. Imaginația mea a luat-o razna și am început să-mi închipui toate scenariile posibile, de parcă aș fi fost în avion, și nu pe jos. Totul părea extrem de aproape și de accesibil și, la sfârșitul acelei nopți, mă puteam afla oriunde aș fi dorit.

Acum eram cinci – ni se alăturaseră și doi tipi din alt vagon. Nici unul dintre noi nu-i cunoștea pe ceilalți de dinainte și eram cu toții ca niște iepuri hăituiți, cu ochii strălucitori, uitându-ne rapid în stânga și-n dreapta, gata să sărim și să alergăm în orice direcție. Am pornit în aceeași direcție toți, departe de calea ferată și adânc în inima pădurii, alegând drept destinație Italia. Trei dintre noi nu se hotărâseră încotro s-o ia și mi-am dat seama că va fi o mare problemă: fiecare dintre ei voia să plece într-o altă direcție. N-aveam instrumente de orientare în spațiu. A fost primul moment în care am simțit că eu și Slavic ne putem înțelege bine. Se purta într-un mod pe care îl înțelegea și judeca extrem de rațional. Nu vorbea cât ceilalți și se gândea bine când spunea ceva.

Pentru că nu aveam mijloace de orientare pe care să ne bazăm, am hotărât să ne oprim și să ne ascundem peste noapte în pădure, sperând că lumina zilei o să ne ajute să găsim direcția bună.

AJUNȘI LA VIENA – AZILUL

După raidul poliției în apartamentul din Viena în care stă-
team, am fost duși la secția locală de poliție, și apoi transfe-
rați la un centru pentru solicitanții de azil. Semăna destul de
bine cu un internat, cu cantină, dormitoare, băi, camere de
zi la comun, clădiri administrative și un centru de recreere
în care oamenii puteau face sport, toate înconjurate de un
gard înalt, cu o poartă ce era închisă după o anumită oră.
Era un soi de închisoare mai relaxată și, ca la mine la școală,
mâncarea era groaznică.

Am simțit însă că atmosfera e ușor tensionată. Am aflat
că tocmai avusese loc o bătaie între un grup de moldoveni
și una de ceceni, în timpul căreia un cecen a fost ucis, iar în
aer încă se simțea încordarea. Era bine să căscăm bine ochii
și să fim pe fază, pentru orice eventualitate.

Am primit o cameră împreună cu alte șase persoane,
motiv pentru care eram cam înghesuiți, ca într-un cămin
ieftin. Am început să ne împrietenim cu lumea, ca să aflăm
cum faci ca să obții documente legale. Cei care obțineau
ușor documentele nu-ți împărtășeau povestea lor și ce le-au
spus autorităților, poate fiindcă nu voiau ca și alții să spună
aceeași poveste, fapt ce le-ar fi putut știrbi cumva credibili-
tatea. Era greu să-ți dai seama care e cea mai bună poveste
pe care ai putea s-o spui. Urma să fim intervievați în curând,
și aveam nevoie de o poveste sigură.

Am auzit că niște tipi au fugit de la azil și au început să
lucreze la negru sau să fure radiouri de mașină, în oraș.
Când erai oprit sau verificat de poliție, îți arătai pur și simplu
cardul de plastic de azilant și îți dădeau drumul. Cardul era

valabil până când se lua o decizie în privința ta, ceea ce dura de obicei mult timp. Cardurile aveau diverse culori, pentru a indica feluritele situații de azilant. De obicei, cardurile valabile mai mult timp erau date familiilor cu copii. Majoritatea acestor familii erau din Georgia și Cecenia.

Am cunoscut un moldovean care era în centru de câțiva ani și care se obișnuise cu faptul că nu avea de ales și nici planuri de viitor, probabil fiindcă aici primea gratis toate lucrurile de primă necesitate. Destul de mulți dintre aceștia aveau familii acasă, în Moldova, și îmi părea rău că nu pleacă din azil și nu fac nimic.

Între timp, Slavic și cu mine ne-am împrietenit cu niște tipi tineri și plini de energie pe care i-am cunoscut acolo. Discutau despre un plan de evadare și le-am spus imediat că vrem să venim și noi cu ei. Peste două zile, trebuia să sărim gardul în toiul nopții, la ora 3, să furăm o mașină și să plecăm spre Italia. Dat fiind că nu existau granițe, puteam ajunge în câteva ore.

Înainte de fugă, eu trebuia să mă duc la interviu, ca să primesc un card de azilant, care era foarte important. Acesta avea să-mi servească drept legitimație, cu care aveam să rezolv multe probleme și să împiedic deportarea mea, până când mi se hotăra soarta. În timpul interviului, n-am găsit povestea fermecată care să-mi garanteze șederea îndelungată în Austria. În locul ei, am improvizat cum m-am priceput. Deși funcționarii au fost foarte drăguți, povestea mea a fost o încropeală ridicolă. Am primit cardul de azilant care avea să mă ajute să mai câștig niște timp, dar nu era nici o șansă să primesc dreptul de a rămâne aici permanent.

În noaptea de după ce am primit cardul de azilant, eram gata să fugim și eu eram deja pregătit. Ne-am întâlnit să discutăm şi să stabilim planul în amănunt. Eram şase inşi, cu tot cu mine şi cu Slavic. Noi eram cei mai mari şi mai maturi dintre toţi – aveam nouăsprezece ani. Am căzut de acord că şase adolescenţi într-o singură maşină obişnuită, de genul celor uşor de spart şi de furat, ar bate foarte tare la ochi şi am risca să fim opriţi. Aşa că am hotărât să facem rost de două maşini, cu câte trei persoane în fiecare dintre ele – Slavic într-una şi eu în cealaltă. Dintre noi toţi, doar doi aveau ceva experienţă la şofat – tehnic vorbind, asta însemna să fi condus de măcar două ori, fără să faci accident –, în vreme ce trei dintre noi ştiau cum să spargă şi să fure o maşină.

Pe la ora 3 noaptea, am sărit gardul şi am aşteptat să vină tipii cu maşinile. Din fericire, aleseseră unele cu suficient combustibil în rezervor. Nu aveam telefoane sau alte mijloace de comunicare, şi nu voiam să atragem atenţia asupra noastră, aşa că am căzut de acord să nu mergem unii în urma celorlalţi, ci să ne depăşim pe şosea la vreun kilometru jumate, ca să nu ne pierdem unii de alţii. Tipii erau agitaţi la culme. Am pornit ca nişte mafioţi, cu muzica dată tare şi piciorul pe acceleraţie, ceea ce nu era deloc lucru înţelept, având în vedere că şoferul conducea a patra oară în viaţa lui! Înainte să ajungem la autostradă, motorul s-a oprit de două ori, iar şoferul a trebuit să-l pornească din nou, cuplând două sârme. Imediat ce am ajuns la autostradă, totul a părut să fie OK – probabil din cauză că nici unul dintre noi habar n-avea de condus.

Eram extrem de fericiţi că ne aflam pe drum şi că în curând aveam să fim în Italia, unde fiecare avea planul lui. Slavic şi cu mine urma să ne ducem la unchiul lui, care să ne facă rost de casă şi de slujbă, iar ceilalţi aveau şi ei aranjamente asemănătoare. În timp ce depăşeam cealaltă maşină, râdeam şi ne făceam cu mâna. Data următoare când am trecut pe lângă ceilalţi, aceştia se aflau la o staţie de benzină, aşa că am încetinit ca să le dăm timp să ne depăşească, ceea ce au şi făcut la scurt timp. Următoarea dată când i-am văzut, maşina lor era parcată pe marginea drumului, înconjurată de poliţie, şi toţi aveau cătuşe la mâini. Mare păcat – erau atât de aproape de graniţă! N-a durat mult şi am fost opriţi şi noi de o maşină de poliţie şi am fost arestaţi, încătuşaţi şi duşi la secţia de poliţie. Însă era o secţie de poliţie *italiană*.

Era dificil să înţelegi ce ziceau poliţiştii, dacă nu cunoşteai limba, însă din când în când ne mai dădeau câte una, iar asta înţelegeam. Ne trăgeau câte un şut în fund sau în picior câte unuia sau câte o palmă peste cap sau peste faţă – nu foarte violent, dar cu forţă şi usturător. Auzisem despre brutalitatea poliţiei italiene faţă de străini şi că nici nu se comparau cu poliţiştii austrieci, mult mai amabili. Când au sosit avocatul şi traducătorul, şuturile şi palmele au încetat. Am inventat o poveste, că ceilalţi spărseseră maşinile şi ni le dăduseră ca să mergem în Italia, pe care nu eram sigur c-au crezut-o. Ne-au luat amprentele şi ne-au dat drumul. Ni s-a spus că trebuie să părăsim ţara în două zile, altfel vom fi arestaţi şi deportaţi – ceea ce mi s-a întipărit foarte tare în minte, pentru că era ultimul lucru care voiam să mi se întâmple.

Ni s-au dat indicaţii către gara celui mai apropiat oraş şi am pornit într-acolo. Eram iar singur şi nu se mai punea problema să merg la unchiul lui Slavic. Meditând la ce aş putea face, mi-am adus aminte de Alex, un tip de la mine de la şcoală, care plecase cu şase luni în urmă în Italia, la tatăl lui. M-am gândit să-l sun și să văd dacă îmi poate da el o soluție. Altă variantă la care mă gândeam era să mă duc la tipul din Roma, care îmi putea da 100 de euro, cu care să-mi continui drumul. Din cei 500 de euro pe care mi-i trimisese fratele meu mai mare, Alex, rămăsesem cu mai puțin de 100. Mergeam de mai bine de două ceasuri spre gară și se însera. Dintre toate mașinile ce treceau pe lângă noi, nici una n-a dat semne că ne-ar lua, când le-am făcut semn, ridicând brațele. Eram la mijlocul unei păduri și încă nu se vedea nici urmă de oraș. Abia la miezul nopții sau chiar mai târziu am intrat, în sfârșit, în oraș. Am găsit un magazin care încă era deschis, așa că am hotărât să cumpăr o franzelă, ca să avem ceva în burtă. Ceilalți au vrut să fumeze, așa că încercau să mă convingă să le iau niște țigări. M-am gândit atunci cât de puternică e dependența asta – deși erau lihniți, preferau să fumeze în loc să mănânce. Am adunat toate monedele pe care le aveam și am cumpărat un pachet de țigări și niște chifle, pe care le-am terminat cât ai clipi. Ceilalți au început să pufăie, cu o expresie de încântare pe chip.

Trebuia să găsim gara și, mai important, un loc unde să dormim până să ne urcăm în tren, dimineața. Era destul de rece, așa că ne-am plimbat căutând un adăpost sau sperând că vom întâlni pe cineva care să ne ofere un loc în care să stăm peste noapte. Era un oraș destul de mic și nu ne-a luat mult să-l parcurgem la pas aproape pe tot. Am observat biserica și ne-am dus să batem în ușa ei. N-a răspuns nimeni, așa că am înconjurat-o, în căutarea unui adăpost. Am dat peste o clădire ce părea o creșă, pentru că era înconjurată de un soi de teren de joacă. Ușile erau deschise, așa că am intrat. S-a dovedit a fi o creșă abandonată. Am reușit să găsim niște scânduri pe care să ne întindem și chiar și ceva cu care să ne acoperim, și am adormit. Deși eram obosit, era un somn iepuresc. Știam că dimineața devreme trebuie să fim la gară. Nu voiam să irosesc nici măcar o clipă din cele două zile „legale" în această țară.

Când ne-am trezit, ne-am dus direct la gară, care nu era departe. Când am ajuns acolo, am avut o mare surpriză – Slavic și ceilalți erau și ei acolo. Am fost nespus de fericit să-i văd și ne-am îmbrățișat cu toții – aveam sentimentul că-l știu pe Slavic de ani de zile, iar acum mă gândeam la el ca la un bun prieten. Crezusem că celălalt grup a fost arestat de poliția austriacă înainte de graniță, iar noi reușisem să ajungem în Italia. Dar se pare că și ei fuseseră ținuți la o secție de poliție italiană din apropiere și fuseseră eliberați cu doar o oră înaintea noastră.

Slavic mi-a propus să mergem la unchiul lui la Verona și poate să ne stabilim acolo, unde acesta avea un apartament și o slujbă. Am luat un tren spre Verona, pe care l-am schimbat la Veneția. Ceilalți aveau de gând să se ducă la rudele lor din Milano și Verona, așa că am pornit cu toții în aceeași direcție. Arătam destul de dubios dacă rămâneam împreună, așa că am decis să călătorim în compartimente diferite. Am rămas vigilenți și am avut grijă să coborâm la Veneția și să prindem trenul de Verona. Odată urcați, vedeam de la geam celălalt tren. Ceilalți tipi se aflau încă în tren și se uitau pe fereastră. Nu ne-a fost clar dacă au hotărât să meargă mai departe sau nu-și dăduseră seama că trebuie să schimbe trenul. Am fost siguri însă că în cele din urmă or să fie bine.

Gara din Verona era o clădire de mare frumusețe arhitecturală. Imediat ce am ajuns, am și simțit energia orașului, cu o mulțime de oameni mergând în toate direcțiile, și forța arhitecturii ce ne înconjura. Soarele era sus pe cer și vremea era caldă și frumoasă. Slavic l-a sunat pe unchiul lui și l-a anunțat de sosirea noastră. Am așteptat câteva ore, până când se putea întâlni cu noi. Unchiul lui era de ceva timp în Italia. Era împreună cu familia, și avea două fetițe, iar una dintre ele era deja la școală și vorbea mai mult italiană.

În apartamentul lor, pentru prima oară după mult timp, am simțit un soi de energie familială – confortabilă, plăcută și plină de afecțiune. Noaptea aceea, în care am dormit într-un pat adevărat, cu cearșafuri adevărate, mi s-a părut cea mai frumoasă noapte din viața mea. Mi s-a părut absolut minunată – nu mă simțisem în viața mea atât de bine. Am simțit un val de încântare pură în tot corpul.

Familia respectivă nu ne-a putut caza prea mult timp, dar Slavic mi-a vorbit despre un alt unchi al lui, care locuia într-un oraș din apropiere, și pe care îl chema tot Slavic. Acesta nu era căsătorit și era posibil să aibă loc și pentru noi, așa că am hotărât să ne ducem la el. Dimineață, am luat trenul spre unchiul lui Slavic, care deja ne aștepta.

Slavic și unchiul lui păstraseră legătura, dar nu se mai întâlniseră de mult timp, așa că s-au bucurat mult să se vadă. Era plăcut să asiști la reîntâlnirea lor. Unchiul Slavik avea o cameră într-o casă mare, cu patru dormitoare – cel puțin așa părea în acel moment. Nu avea acte și muncea ca ajutor de bucătar, așteptând să intre în legalitate. La ora aceea, exista o lege care spunea că, dacă ai lucrat cinci ani, te calificai să intri în legalitate – să primești un *permesso di soggiornio* (permis de rezidență). Așa că Slavic, nepotul său, a hotărât că așa va face și el. Unchiul Slavic era un tip super și foarte cumsecade. În fiecare zi, înainte de a pleca la muncă, se ducea la bucătărie și ne făcea ceva de mâncare. Și, când se întorcea, ne pregătea cina.

Eu tot la Anglia mă gândeam și nu mă îmbia deloc ideea de a rămâne în Italia. Un prieten care se afla deja în Anglia auzise despre un tip din Lituania care făcea trafic de persoane folosind pașapoarte lituaniene contrafăcute și transportându-i cu mașina din Belgia la Londra. Pentru a putea fi și eu una dintre acestea, trebuia să ajung la Bruxelles. Asta era șansa pe care o voiam și trebuia să fac cumva să am acces la ea. Am început să îmi imaginez toate căile prin care aș putea face asta – cum să plec dintr-un orășel din Italia cu mai puțin de 100 de euro în buzunar și să ajung în Belgia și apoi în Anglia. Am hotărât să mă duc la tipul din Roma, de la care să iau cei 100 de euro și, cu ceilalți bani pe care-i mai aveam, și improvizând din mers, poate că aveam să reușesc să ajung la Bruxelles. Acum, când îmi amintesc, mi se pare foarte ciudat: aveam atât de puțini bani, nu era nimeni din jur care să-mi dea sau să-mi împrumute destui bani ca să-mi pot continua drumul, și nu aveam acte legale, cu care să pot primi un transfer bancar, dacă găseam cine să-mi dea.

Cam în a treia zi de când stăteam cu Slavic senior și junior, am reușit să pun cap la cap un plan care să mă ajute să-mi împlinesc dorința. L-am sunat pe fratele meu Alex, care l-a găsit pe lituanianul care trafica persoane printr-un prieten de-al meu de la LIRPS. Alex, care lucra la Londra, mi-a împrumutat niște bani și a stabilit cu lituanianul să-l plătească la sosirea mea. Tot ce trebuia să fac acum era să ajung la Bruxelles fără să fiu prins. Mi-am făcut niște poze de pașaport și i le-am trimis lui Alex, ca să-mi pregătească pașaportul fals.

După trei zile, a trebuit să-mi iau la revedere de la cei doi Slavik și să pornesc spre următoarea mea destinație: Roma.

Mi-am înșfăcat rucsacul și am plecat cu Slavik spre gară – a fost o plimbare foarte plăcută de patruzeci de minute, prin peisajul italian pe care ajunsesem să-l îndrăgesc. Slavik mi-a dat tot măruntul pe care-l avea, ceea ce a fost foarte drăguț din partea lui. Eu i-am dat treningul – cel pe care îl purtasem ca haine de schimb. Purtam aceeași mărime și lui îi plăcea foarte mult, așa că am făcut și eu un gest frumos.

DRUMUL SPRE ROMA

Călătoria cu trenul spre Roma a fost plăcută. M-am uitat întruna pe geam, admirând peisajul – deși frica de a fi prins nu m-a părăsit niciodată.

La scurt timp după ce am sosit la Roma m-am întâlnit cu tipul cu banii și, imediat ce mi i-a dat, m-am gândit să mă duc la gară și să prind un tren spre Bruxelles. Gara din Roma era plină de foarte mulți străini – auzeam vorbindu-se rusa, româna și ucraineană, dar și limba mea, moldovenească. În timp ce așteptam, cineva s-a apropiat de mine și m-a salutat în moldovenește. Am început să vorbim și l-am recunoscut – era și el judocan și participaserăm amândoi la mai multe competiții sportive. Îl chema Kesha și mi-a propus să rămân câteva zile să-mi arate Roma, ceea ce mi s-a părut o idee foarte bună, pentru că nu mai fusesem niciodată aici și puteam profita de ocazie ca să vizitez acest oraș istoric superb. I-am povestit situația mea și că trebuie să am mare grijă să nu fiu deportat și că planul meu e să ajung în Anglia.

Dacă aş fi ştiut ce o să se întâmple, m-aş fi suit imediat în trenul de Bruxelles...

M-a dus mai întâi să-mi arate unde locuieşte şi mi-a zis c-o să-mi facă cunoştinţă cu *polozhenec*-ul Romei (termen rusesc de argou pentru şeful unei bande). Kesha mi-a zis că acesta e un moldovean foarte dur – un expert în sambo care *câştigase* destul de multe bătăi în cuşcă – şi că e prieten cu el.

Kesha locuia într-un ansamblu de două clădiri destul de mari, care, mi-a zis el, erau şcoli ce fuseseră abandonate, iar acum erau pline de imigranţi moldoveni. Şi la una dintre ferestrele de pe partea dinspre drum atârna un steag mare moldovenesc.

Am intrat în clădirea în care locuia Kesha. Fostele săli de clase erau împărţite în cinci sau şase „camere" micuţe, separate cu bucăţi de placaj şi draperii pe post de uşi. Holul clădirii era cufundat în beznă, pentru că nu exista curent în clădire, însă exista apă, aşa că oamenii puteau bea apă şi face duş. Mi-a amintit de căminul nostru de la LIRPS, cu holuri întunecoase, toalete deschise şi duşuri rudimentare. Majoritatea celor de aici erau bărbaţi – un amestec de oameni de toate vârstele, de la tineri la bătrâni, care prestau diverse munci, dar majoritatea prost plătite, fie în construcţii, fie ca oameni de serviciu. Alţii îşi câştigau banii furând şi vânzând ce furau local sau transportând şi vânzând respectivele produse în alte ţări din UE.

Mi-a arătat „camera" lui, care arăta mai degrabă ca adăpostul temporar al unui boschetar, însă avea o saltea acoperită cu un soi de aşternuturi. În celelalte camere locuiau tovarăşii lui. Erau inşi cu care îşi făcea „afacerile". Am înţeles că nu muncesc pe şantier, şi nici nu lucrează în domeniul financiar. Au început să discute despre zonele pe care să le abordeze în seara aceea.

Au trecut în revistă multe subiecte. Cum motocicleta pe care au furat-o cu o săptămână în urmă ajunsese în Moldova cu o furgonetă. Cum furau mașini și, pentru că nu aveau unde să le țină, le parcau pur și simplu într-o altă zonă a orașului, până găseau un cumpărător. Uneori, aceste mașini dispăreau din locul în care le parcaseră și se întrebau oare ce se întâmplase cu ele. Apoi, a fost povestea cu tipii care plecaseră în săptămâna respectivă după ce spărseseră o casă și găsiseră un seif plin cu bani. Și apoi despre petrecerea de noaptea trecută, cu mâncare bună și o groază de înghețată. O bandă jefuise un restaurant și adusese mâncare pentru toți – speraseră să dea peste un seif plin cu bani, dar se dovedise că acesta nu se afla în restaurant, așa că își umpluseră mașina cu mâncare.

Când toate aceste povești s-au sfârșit, Kesha s-a oferit să mă ducă să-l văd pe *polozhenec*, care stătea în clădirea de vizavi. Toți cei de acolo îl știau și se temeau de el din cauza renumelui său de tip foarte dur – șeful celor prost plătiți și defavorizați.

Polozhenec-ul se plimba prin școală, trecând pe la locatarii ei, iar ei îi dădeau mâncare și tot soiul de cadouri ca să obțină aprecierea și protecția lui. Din când în când, acesta îl mai pedepsea pe câte unul care nu avea suficiente relații, ceea ce slujea drept confirmare a faptului că nu era bine să te pui cu el.

A doua clădire părea mult mai curată și n-am văzut prea mulți oameni locuind acolo. Am urcat pe scări spre etajul întâi, spre camera *polozhenec*-ului, unde două femei mai în vârstă tocmai scoteau niște alimente din sacoșele lor. Camera aducea cu un apartament și avea o parte din mobila pe care o vezi într-o casă normală, ceea ce nu văzusem și în celelalte camere. Am trecut de living, apoi printr-un hol și am ajuns în dormitorul lui.

Un tip masiv era culcat pe burtă, doar în chiloți. Privea nu spre noi, ci spre televizor, la care rula non-stop un film porno. Un tip slăbuț, ce părea mai în vârstă, îi masa o talpă. L-am salutat când am intrat și am rămas așa acolo puțin, după care acesta a întors un pic capul, înregistrându-ne prezența. Îl chema Goșa și am început să vorbim. După ce am stabilit că eu sunt de la LIRPS, ca și el, și că l-am avut drept antrenor la judo pe Luca, chipul i s-a îmblânzit și a devenit prietenos.

Poate din cauza ocupațiilor lor și a felului de viață pe care-o duceau, erau mereu nervoși. Cred că nu-și dădeau seama că trăiesc în pericol permanent – până și activitățile lor tipice din fiecare seară erau periculoase. Nu plăteau niciodată pentru nimic, dar mie mi se părea că sunt mereu pe fugă și că trăiesc sub o amenințare perpetuă – mai ales dat fiind faptul că eu eram extrem de stresat la gândul că mi se luaseră amprentele și că mă pândea oricând deportarea.

De pildă, Goșa și Kesha au hotărât să ne ducem la plajă, care se afla în cealaltă parte a Romei, motiv pentru care trebuia să luăm trenul. Părea c-o să fie o excursie extrem de plăcută și probabil că pentru ei și era, însă eu, cu grijile pentru siguranța mea și spaima deportării, eram cu nervii întinși la maximum la fiecare pas pe care-l făceam.

Ca să mergem cu trenul, săream peste bariere și ne duceam pe peron, unde trebuia să stăm lângă ușile de la acces, cu ochii după conductor. Dacă acesta se urca în tren, săream jos și așteptam următorul tren către destinația noastră. Odată ajunși acolo, dacă nu exista un gard pe care să-l sărim ca să ieșim în stradă, alergam pur și simplu afară și săream iar peste turnicheți. Fiecare dintre aceste mișcări era însoțită de niște fiori reci prin tot corpul, pentru că singurul lucru la care mă gândeam era pericolul de a fi deportat.

Când am ajuns în sfârșit la plajă, am fost mirat să văd că e înconjurată de un gard și că trebuia să plătești. Evident, am sărit peste gard și, atunci când a venit inspectorul plăjii la noi, am fugit pur și simplu în mare.

După ce-am înotat după voia inimii, ne-am dus la o sală de concerte de lângă plajă. Auzisem muzică venind de acolo, așa că am hotărât să vedem ce e cu ea. Era un concurs de dans și ne-am uitat și noi un pic.

Ne-am simțit destul de bine, dacă facem abstracție de părțile cu fuga de tot soiul de conductori și inspectori, care îmi dădea fiori reci. Ne îndreptam spre casă și ne era foame, când Goșa s-a oferit să ne ia niște pizza de la restaurantul cu mâncare la pachet pe lângă care tocmai trecuserăm.

Spațiul era mic, avea probabil vreo opt metri pătrați, iar tejgheaua principală era chiar în fața ta când intrai, și acolo era o femeie care îți aștepta comanda. În lateral, dincolo de un geam, se vedeau pui învârtindu-se, la rotisor.

Goșa ne-a zis să intrăm și să întrebăm ce fel de pizze au și așa mai departe. Am intrat și Kesha a început să discute cu femeia, întrebând-o într-o italiană stricată ce fel de pizza au.

Tot timpul cât eram împreună, făceam bancuri, ne aminteam unul altuia despre viața în Moldova și ne spuneam povești amuzante de la antrenamentele sau concursurile de judo. Goşa se adresa localnicilor cu o faţă serioasă şi autoritară, cerându-le indicaţii geografice în timp ce-şi folosea propriile lui înjurături ruseşti „italiene", la care leşinai de râs. Sau intra într-un magazin să cumpere ouă şi nu ştia cuvântul italian pentru ouă (sau, poate, îşi făcea doar poantele obişnuite), aşa că mima o găină şi arăta cum îi ies ouă din fund. Ne distram non-stop...

La fel pălăvrăgeam şi acum, între noi şi cu fata de la tejghea, când am zărit cu colţul ochiului că Goşa a intrat şi, cât ai clipi, a înşfăcat unul dintre puii care se învârteau la rotisor, dincolo de geam, şi a dispărut. Fata s-a dus la uşă să vadă unde a plecat, dar nici urmă de el nicăieri.

Pentru că eram uşor paranoic, m-a străbătut iar un val de fiori reci prin tot corpul. *Fir-ar să fie, dacă-şi dă seama că suntem împreună şi cheamă poliţia sau aşa ceva, am sfeclit-o.*

Însă ea n-a făcut asta şi, în curând, stăteam tustrei pe marginea drumului şi înfulecam cu poftă puiul fierbinte, sfâşiindu-l bucăţi, ca nişte hiene flămânde.

Când am terminat, Goşa a zis c-ar vrea să mănânce nişte fructe. M-au trecut iar fiori reci – ştiam că o să fie alt episod la care o să-mi stea inima. Îi bătusem atât de tare la cap despre cele două zile legale ale mele şi despre actele mele că nu îi deranja că nu particip la aceste „evenimente". Au intrat, pur şi simplu, în prăvălie şi au ieşit peste câteva minute cu un pepene verde şi nişte mere.

În drum spre casă, Kesha mi-a propus să vin şi eu cu ei în seara respectivă la un „job", dar am refuzat.

În noaptea aia am rămas acasă la Goşa, în clădirea care avea curent electric. Am vorbit despre LIRPS, judo şi oameni pe care îi cunoşteam amândoi. Pentru că era mai mare ca mine, nu ne intersectaserăm în școală, însă avuseserăm același antrenor, ne întâlniserăm la competiții și aveam o groază de prieteni comuni.

Dimineața, am auzit două moldovence în jur de patruzeci de ani, care au adus sacoșe cu alimente precum orez și paste, pe care le luaseră de la „punctul de ajutor". „Punctul de ajutor" era un loc în care guvernul le dădea mâncare celor nevoiași, așa că aceste femei (și majoritatea oamenilor ce trăiau în cele două clădiri) se duceau acolo aproape zilnic. L-am auzit pe Goșa întrebându-le dacă au adus și ulei, la care ele i-au răspuns că în ziua aia nu se dăduse ulei. Mi-am închipuit că treaba asta are legătură cu favoruri și cadouri făcute pentru protecție. Și am început să observ o anume ierarhie în rândul celor din aceste două clădiri.

Kesha a venit să-i spună lui Goșa că azi o să primească o „plată" în mâncare, de la cineva care jefuise un restaurant. Era limpede că acest Kesha reprezintă ochii și urechile lui Goșa în cealaltă clădire.

În ziua aceea, Kesha mi-a explicat că sunt doi *polozheneci* care „se ocupă" de Roma. În ierarhia infractorilor, cei doi *polozheneci* adunau obiecte de valoare și bani și le trimiteau capetelor organizației, aflați în închisori din fosta URSS. Când acești *polozheneci* cereau diverse lucruri, vorbeau în numele unor deținuți „importanți", care trăgeau sforile din pușcărie. Acest aranjament fusese extrem de intens folosit în anii 1990, în fosta URSS. Respectivii numeau persoane care să strângă banii sau să facă activități infracționale în numele marilor capete din închisori. Aveau un argou al lor, numit *fenya*, menit *să inducă în eroare poliția* ce-i supraveghea, și puseseră bazele unui buget comun numit *obschak*, care funcţiona ca o structură socială şi financiară infracţională.

Însă, în ultimul timp, majoritatea celor din fostele republici sovietice începuseră să fie mai precauţi, şi aceste vechi şmecherii nu mai aveau succes decât la cei neajutoraţi, care nu aveau protecţie şi nici puterea de a se apăra singuri sau fuseseră intimidaţi şi le era prea frică să cheme poliţia, ca nu cumva şi aceasta să fie mână în mână cu infractorii (ceea ce era tot mai puţin cazul). Unul dintre aceşti *polozheneci* era Goşa, iar celălalt era Mişa – un tip nu prea prietenos, a zis Kesha.

Mi-am petrecut toată ziua în jurul clădirilor cu moldoveni şi, mai târziu după-masa, bărbaţii au făcut un grătar şi am băut nişte beri, cu soarele strălucind deasupra noastră.

În seara aia, am aflat de la Kesha că cei doi *polozheneci* adunaseră o echipă de băieţi buni care să dea nişte lovituri serioase şi că eu aveam să fac parte din acea echipă. Planurile erau deja făcute şi exista şansa de a câştiga *bani frumoşi. Mi-a mai zis şi că Mişa insistase să particip şi eu şi că trebuia să le dau un răspuns dimineaţă.*

Fugisem din ţara mea ca să-mi fac o viaţă mai bună, dar şi ca să mă ţin departe de acest fel de organizaţii. Văzusem genul ăsta de intimidare, pe care o încercaseră cu mine când eram acasă, în Moldova, şi ştiam că va trebui să dispar de aici cât de curând posibil, dacă vreau să-mi împlinesc visul de a ajunge în Anglia. „Cât de curând posibil" însemna aproape în acel moment, întrucât, cu cât stăteam mai mult cu ei, cu atât mai mari erau şansele să fiu implicat.

I-am spus lui Kesha aproape imediat că nu sunt interesat şi că am de gând să-mi cumpăr bilet spre Bruxelles, a doua zi.

Știam că trebuie să plec de acolo cu orice preț. Nu știam ce e în mintea acestor oameni și care e planul lor exact în privința mea, dar simțeam în atmosferă, în privirea și în șoaptele lor o tensiune extrem de neplăcută. Instinctul mă avertiza să fiu prudent.

Du-Te, Du-Te

Următorul tren spre Bruxelles era a doua zi, așa că mi-am făcut planul să ajung la gară după-masă. În seara de dinaintea plecării, m-am dus la Goșa, în clădirea fără curent electric. Holurile erau cufundate în beznă, singura lumină venind dinspre două ferestre. În clădire era mare agitație – m-am gândit că e din cauză că e sfârșitul unei zile de muncă. Baia era plină de lume, în general femei, care-și spălau hainele. Oamenii băteau la ușile vecine, după sare, cartofi sau alte alimente.

Poliția venea deseori în căutarea cuiva, așa că se încetățenise obiceiul ca, atunci când cineva observă că vine poliția, să-i anunțe imediat și pe ceilalți, prin zgomote sau strigăte. Ferestrele camerelor aveau bare de oțel, iar cei care făceau activități ilegale tăiaseră cu fierăstrăul un capăt al bării, care din afară părea prinsă, dar putea fi scoasă, ca să sari pe geam dacă vine poliția. Acest gen de „protecție" era răspândit în aceste comunități și oamenii se ajutau unii pe alții în viața de zi cu zi, ca să-și păstreze relațiile sociale importante.

Goșa intra în camere de multe ori fără să se prea sinchisească să bată și, imediat ce intra, îi întreba pe locatari câți bani au strâns pentru el – mai exact, pentru *obschak* – și, dacă nu existau bani, măcar ce mâncare îi puteau da. (Se spunea că tot ce se adună aici e trimis cu furgoneta către căpeteniile aflate în puşcărie în Moldova sau celor nevoiaşi.) Mi-am dat seama că toţi cei pe care îi vizita păreau vulnerabili şi muncitori. Probabil lucrau pe un şantier de construcţii sau făceau altfel de muncă manuală, şi puteau fi bărbaţi de vârsta a doua sau mai bătrâni, care strângeau probabil bani şi provizii pentru propriile lor familii. M-a scârbit faptul că erau obligaţi să le dea acestor inşi tineri şi în putere o parte din banii lor adunaţi cu multă trudă. Pe de altă parte, protecţia pe care şi-o cumpărau astfel ajungea doar până la un anume nivel. Dacă exista o problemă reală, aveau să fie ajutaţi doar proporţional cu cât cotizaseră. Problema era aici proporţia sumelor oferite: deşi pentru cei cu slujbe prost plătite sumele erau relativ mari, după pretenţiile membrilor bandei acestea erau mici.

Goşa mi-a spus iar ce planuri mari au el şi Mişa şi că mă vor şi pe mine în echipa lor, şi că e o mare şansă să scoatem bani frumoşi. A mai adus în discuţie şi faptul că Mişa era cel care insistase să mă coopteze şi pe mine şi că ar fi mai bine să le dau răspunsul a doua zi dimineaţă. Tactica asta a lui agresivă psihologic începea să devină periculoasă şi am început să simt nevoia de a scăpa de aici cât încă mai foloseau un ton amical. Ştiam că e musai să ajung în tren a doua zi după-masă, altfel aş putea rămâne prizonier aici.

Când şi-a terminat rondul, Goşa avea o şacoşă plină cu bani şi tot soiul de alimente. Am bănuit că şi scena asta face parte din plan, fiind menită să-mi arate cum poate fi viaţa dacă mă hotărăsc să rămân.

Era deja destul de târziu când ne-am alăturat şi noi celorlaţi, la grătar. Mişa, care băuse deja destul de mult şi era gata de o „discuție", s-a apropiat de mine. Conversația a devenit una mai directă. Mișa a zis că n-am de ales, că trebuie să rămân la Roma și să fac parte dintr-o echipă care va obține rezultate extraordinare. Avea să treacă pe la mine a doua zi după-masă, ca să discutăm planurile.

Asta m-a convins să „o iau din loc" chiar mai repede decât vrusesem. Trebuia să fug din locul ăsta înainte de a fi forțat să-mi câștig dreptul de a alege printr-un soi de întrecere, ceea ce nu-mi doream deloc.

A doua zi dimineață, mi-am luat rămas bun de la Goșa și Kesha și le-am spus încă o dată că nu intenționez să rămân și că, pentru a evita orice confruntare, am să plec la gară chiar în ziua aceea. Voiam ca după-masă să fiu deja plecat din Roma, înainte ca Mișa să vină să discute cu mine. Nu aveam nici cea mai mică dorință de a vedea ce s-ar întâmpla sau ce ar putea el încerca să facă. Trebuia să plec imediat din oraș. Și era și momentul să plec...

În timpul zilei nu era nici un tren spre Bruxelles. Iar cel de seara avea întârziere și exista posibilitatea să nu vină deloc. Trebuia să iau o decizie. L-am sunat pe amicul meu Max, care se dusese la tatăl lui, la Milano. M-am gândit că poate există un tren în direcția respectivă în prima parte a după-amiezei, și că aș putea să iau trenul spre Bruxelles de acolo.

Nu mai vorbisem cu Max de vreo patru luni, când el o ducea destul de bine – tatăl lui obținuse acte legale, iar Max putea călători, ca fiu. L-am sunat și l-am întrebat dacă mă poate caza și pe mine la el acasă până îmi ies și mie actele. Mi-a zis că nu e chiar atât de simplu, dar a fost de acord să ne vedem. A adăugat că nu se află chiar la Milano, dar că va veni să mă ia când ajung.

M-am uitat la mersul trenurilor. Era un singur tren ce mergea la Milano în după-masa aia şi pleca la douăsprezece şi jumătate, ceea ce îmi convenea. M-am hotărât să-mi cumpăr biletul şi să plec din Roma, departe de orice potenţial pericol. Din păcate însă, era duminică şi nu erau prea multe trenuri, toate biletele de clasa a doua fuseseră deja vândute şi nu mai rămăseseră decât cele de clasa întâi.

M-am hotărât să-mi iau totuşi bilet, aşa că am plătit un bilet de clasa întâi şi i-am spus lui Max când ajung. Eram gata de plecare, dar tot mai erau câteva ore până pleca trenul, care nici nu era unul de mare viteză – aveam destul timp să mă gândesc la latura financiară a ideii de a-mi lua un bilet la clasa întâi. Situaţia nu era prea roză: cei 100 de euro după care venisem la Roma îmi ajungeau doar ca să-mi plătesc biletul de întoarcere. Ce porcărie!

Mi-am petrecut timpul până la plecarea trenului plimbându-mă prin gară. Într-o anumită zonă a ei, semăna cu oraşul Chişinău din ţara mea – erau o mulţime de moldoveni care fie trimiteau, fie primeau diverse pachete de acasă. Stăteau în mici grupuleţe şi beau bere moldovenească. Genul ăsta de locuri era ideal pentru diversele bande, căci aceşti oameni erau uşor influenţaţi de tacticile lor murdare de intimidare.

UNEORI TREBUIE SĂ LE CÂNŢI CELORLALŢI ÎN STRUNĂ

Nu mai mersesem niciodată cu clasa întâi. Era confortabil şi destul de plăcut. Personalul era foarte amabil şi ni s-a servit mâncare şi băutură.

Însă tocmai când mă relaxam, după masă, m-au trecut iar fiorii. Am auzit o voce la difuzor anunțând că vine *polizia* (poliția). M-am gândit imediat la tot ce putea fi mai rău și trupul meu a intrat imediat în alertă. Am început să-mi închipui cum trece poliția pe culoar și cere pașapoartele și să-mi trec în revistă opțiunile, deși n-aveam unde să mă ascund sau unde să fug, așa că nu aveam prea multe opțiuni, mai ales că și cardul meu de azilant expirase cu ceva timp în urmă... Apoi au sosit oamenii de serviciu. *Pulizia* (curățenia) avea loc după ce terminam de mâncat!

Abia așteptam să-l revăd pe Max. Mi-l închipuiam arătând altfel și schimbat după ce locuise o vreme în Italia. Când ne-am întâlnit însă în gară am văzut că nu se schimbase nimic, nici măcar tricoul lui, care era decolorat de soarele Italiei. Însă am observat că părea obosit și ușor speriat.

Deși tatăl lui primise *permesso di soggiornio*, Max continua să fie oprit zilnic de poliție, care-i cerea actele, și el trebuia să aibă mereu la el dovada. Era de părere că, dat fiind că eu nu aveam acte, ar fi periculos pentru mine să mă aflu aici, pentru că mi se puteau cere oricând documentele. Așa cum învățasem stând în Roma, cheia era să pari sigur pe tine și să nu-ți fie frică de polițiști când treci pe lângă ei sau când te văd – altfel pari dubios. Exersasem deja înainte să ajung aici, așa că eram relativ relaxat.

În timp ce mergeam pe peron, ne-am apropiat de niște polițiști, iar Max și-a scos grăbit mobilul din buzunar și a început să vorbească mai tare decât normal, îndrugând niște propoziții abrupte și fără cap și coadă în italiană, în general alcătuite din cuvinte ca *si* („da"). Teatrul ăsta lingvistic mi-a părut ușor bizar.

Problema cu faptul că Max fusese oprit de atâtea ori de
poliție era că acum era atât de îngrozit de polițiști încât, ori
de câte ori îi vedea, își înșfăca mobilul și începea să vorbească
în italiană. La drept vorbind, aveau și polițiștii dreptate să li
se pară dubios, așa că îl opreau mereu, făcându-l să devină
paranoic.

De acum încolo, nu avea să ne mai oprească și să ne ceară
documentele nimeni. Aveam să părem amândoi siguri pe
noi și să ne continuăm conversația, indiferent dacă treceam
sau nu pe lângă polițiști.

Max, amabil, îmi cumpărase și mie un bilet și am luat un
tren spre orașul în care locuiau el și tatăl lui.

7

Momentul
Potrivit

Ţine minte asta: Trei... Doi... Unu... Acţiune! Exact ca o rachetă ce tocmai e lansată în spaţiu. Nu ezita – acţionează, aşa cum scrie Mel Robbins în cartea ei, *Regula celor 5 secunde*, acţionează rapid.

Acţionează Acum!

Citeşte ceea ce urmează, fără grabă: Imaginează-ţi cum îţi închizi ochii şi auzi vocea ta interioară vorbindu-ţi. Eşti fericit cu starea actuală a corpului tău? Cu expresia pe care o ai dimineaţa, înainte să-ţi începi ziua? Eşti mulţumit cu starea actuală a finanţelor tale? Ai destui bani pentru tine şi familia ta? Ce părere ai despre mâine, despre luna viitoare şi anul viitor? Crezi că situaţia se va schimba? Ce simţi?

Acum încearcă să-ţi imaginezi scenariul ideal. Imaginează-ţi că faci ceva ce-ţi place să faci. Imaginează-ţi că te trezeşti dimineaţa, în ziua ta ideală. Încearcă să simţi mirosul aerului, să vizualizezi camera în care deschizi ochii, imaginează-ţi oamenii care vrei să se afle în jurul tău, şi glasurile lor vorbind cu tine. Ce simţi?

Trăim o viaţă a supravieţuirii, acceptând ceea ce avem şi inhibându-ne visurile şi dorinţele, ca pe ceva ireal şi de neatins, ceva ce nu merităm.

Ce eşti pregătit să faci sau ce eşti pregătit să plăteşti, pentru o viaţă mai bună? Ce aştepţi?

După ce mi-am părăsit ţara natală, am ajuns la prima mea destinaţie, Slovacia, şi am descoperit că sunt oameni care aşteptau luni de zile momentul perfect în care să treacă graniţa, sau trenul perfect, care le convenea perfect. Nu aveau ţelul perfect – ţelul nu e un proces confortabil, e destinaţia.

În ziua când am ajuns în Slovacia, trenul n-a venit, aşa că a doua seară m-am dus iar în acelaşi loc, însoţit de un tip de douăzeci şi unu de ani, care venise cu mine din Moldova. El nu era suficient de independent, aşa că avea nevoie să fie sfătuit şi sprijinit în permanenţă.

Locul era, din nou, ticsit de oameni. La ora respectivă, înţelesesem deja că aşa va fi în fiecare seară. Unii dintre aşa-zişii imigranţi îşi făcuseră chiar un soi de tabără acolo.

Era ultima oară când aveam să-l mai văd pe tipul de douăzeci şi unu de ani. El nu s-a suit în trenul în care m-am suit eu şi pe urmă n-am mai auzit niciodată de el.

M-am mişcat rapid, imediat ce am zărit trenul potrivit. Încă doi tipi au sărit şi ei cu mine în tren. I-am auzit pe unii şoptindu-le altora să nu se urce în tren, pentru că e bine să nu fie mai mult de trei persoane într-un vagon. (Se pare că exista un soi de strategie, pe care eu nu o ştiam la ora respectivă, dar despre care am aflat mai târziu, însă nu i-am prea dat atenție și am sărit în tren, fără să număr câți suntem.)

În mai puțin de un minut de vorbit în șoaptă, ne-am și făcut planul și am lucrat tustrei la unison. Am fost, din nou, uluit de capacitatea omului de a face față unor împrejurări periculoase.

Vagonul era plin de fier vechi – toate felurile posibile de resturi metalice, piese auto, țevi și așa mai departe. Metalul era prezent aici într-o varietate de feluri, forme și greutăți, unele erau mari și grele, altele ușoare. Am pus ochii pe o capotă de mașină, care părea ascunzătoarea cea mai simplă și mai eficace și, în plus, era relativ simplu să ieși din ea mai târziu, spre deosebire de una alcătuită din sute de kile de fier vechi, care se putea lăsa pe tine și te putea apăsa în timp ce trenul era în mișcare.

Toate aceste observații și gânduri au fost schimbate între noi rapid, în cele câteva momente de vorbit în șoaptă. Am început să ne facem un plan. O să așteptăm în tăcere conductorii, care băteau cu ciocanul în roțile fiecărui vagon, semn că a trecut inspecția, după care puteam începe să ne căutăm o ascunzătoare în timp ce trenul se îndrepta către graniță, până la care făcea cam un sfert de oră.

Am stabilit care dintre noi să se ducă în ascunzătoarea cea mai simplă, capota de mașină. Sarcina lui era să ne acopere după ce făceam o gaură în grămada de fier, ca să ne băgăm în interiorul ei, după care să se ascundă. Și, când ne apropiam de destinație, tot el trebuia să ne ajute să ieșim, pentru că metalul era prea greu și se lăsa prea tare pe noi ca să putem măcar să ne mișcăm. Cel mai important era ca el să fie responsabil, vigilent și destul de inteligent ca să ne ascundă în așa fel încât să nu putem fi văzuți când lanterna avea să fie fixată asupra noastră, ceea ce, la drept vorbind, nu era deloc o sarcină ușoară pentru el din cauza vizibilității scăzute din timpul nopții. El trebuia, de asemenea, să se asigure că nu pățește nimic, altfel noi rămâneam sub tot mormanul ăla de fier până Dumnezeu știe când. În același timp, speram că n-o să fie nici un accident sau că, în timp ce trenul se mișcă pe șine, grămezile de deșeuri metalice n-or să se deplaseze, zdrobindu-ne.

Nu erau decât câteva minute de când săreai în vagon până când conductorii începeau să se plimbe pe lângă tren, asigurându-se că nu există nici o problemă tehnică. Ultimul conductor bătea în roți cu un ciocan, ceea ce semnaliza că trenul urmează să plece curând.

La scurt timp după ce ne-am făcut rapid planul, stăteam culcați pe burtă, deasupra mormanului de metal. Cam o oră, muncitorii și conductorii s-au plimbat încolo și-ncoace sub noi, dar în cele din urmă tipul cu ciocanul a trecut pe lângă noi, a bătut în roți și a dat semnal trenului că poate să plece.

În timpul acelei ore, s-a întâmplat un lucru neașteptat și neplăcut. Mâna care-mi sprijinea capul (ca o pernă) stătea pe niște metal ascuțit care a fost suportabil vreo zece minute, dar după un ceas îmi oprise circulația sângelui și mi-o amorțise – ca să nu mai zic de durerea înfiorătoare: era ca și cum aș fi stat pe un cuțit. Același lucru mi s-a întâmplat și cu încheietura mâinii și cu piciorul. În cele din urmă, nu mi-am mai putut simți sau mișca jumătate de corp. În timpul orei respective nu te puteai mișca absolut deloc, pentru că până și cea mai mică mișcare putea deranja grămezile de metal, făcând un zgomot nedorit, care să alerteze conductorii. Acea oră mi s-a părut o eternitate.

Când tipul cu ciocanul a trecut pe lângă noi și trenul a pornit, m-am bucurat să mă pot ridica, să-mi scutur trupul ca să revin la normal și să încep să-mi croiesc o ascunzătoare în fierul vechi, dar a apărut altă problemă. Mâinile nu mă mai ascultau și, primele vreo cinci minute, mi le-am folosit ca pe niște proteze. Trebuia să ne mișcăm repede, înainte să ajungem la punctul de control al frontierei. Dacă nu eram ascunși la timp, aveam să fim prinși și toate eforturile noastre ar fi fost în van.

La ora respectivă nu știam ce fac ceilalți, dar eram sigur că nu mai bine ca mine.

În timp ce-mi făceam loc printre roțile de aliaj dur, portiere auto și țevi de eșapament, îmi zdreleam întruna genunchii și mâinile de metalul ascuțit, așa că era o adevărată provocare. Până la urmă, am reușit să fac o deschizătură suficient de adâncă, folosindu-mă de o singură mână și doar sprijindu-mă de „proteză" – deși, pentru siguranță, cred că am făcut-o exagerat de mare. Tipul care trebuia să ne salveze (cel de sub capotă) m-a acoperit, apoi l-a acoperit pe celălalt și la final s-a ascuns și el. Ne-am asigurat că suntem bine strigând unii la alții.

Totul s-a petrecut destul de repede și n-a durat mult și am ajuns la controlul frontierei. Însă eu simțeam deja greutatea metalului apăsându-mă și, în timp ce trenul se zgâlțâia pe șine, se cutremura și încărcătura și se mișca periculos. Fierul vechi se tasa și se împingea în mine. M-am bucurat că avusesem inspirația de a pune un strat protector mai consistent deasupra mea, pentru orice eventualitate – era destul ca să nu fiu văzut, dar și ca să nu fiu zdrobit sub morman.

Odată ajunși la graniță, urma să le ia cam o jumătate de oră celor de la poliția de frontieră să verifice trenul. Aveau să verifice atent fiecare vagon cu o lanternă, să se asigure că nu e nimeni acolo.

Trenul încetinea și eu abia așteptam să fie verificat, ca să pot da la o parte metalul și durerea să înceteze. În acel moment, unei părți din mine nu îi mai păsa dacă suntem prinși sau nu; cea mai mare dorință a mea era să ies de sub toată greutatea aia și durerea să înceteze. Cealaltă parte din mine încerca să-mi îmbărbăteze trupul să mai reziste și să nu cedeze. Aproape ajunsesem...

Am ajuns la graniță și am auzit muncitorii vorbind în timp ce inspectau fiecare vagon. În curând, aveau să ajungă și la vagonul nostru...

TRENUL SPRE BRUXELLES – DECIZIA

Îl lăsasem pe Max în nordul Italiei și mă aflam în trenul de Paris, culcat pe bancheta pentru bagaje de deasupra paturilor (conform sfatului dat de conductor) și mă gândeam serios la următoarea mea mișcare. Trebuia să iau o decizie și s-o pun în practică.

Mai întâi, trebuia să estimez unde mă aflu. Nu știam în ce punct geografic mă aflu exact, dar îmi dădeam seama că la ora asta făcusem deja aproape o treime din drum, între punctul în care intrasem în Franța și Paris. Dacă făceam comparație între cât mă costase biletul de la Milano la Bruxelles și încercam să echivalez suma cu distanța parcursă, puteam face o estimare aproximativă a locului în care puteam să cobor din tren, şi unde îmi puteam cumpăra un alt bilet cu banii rămaşi (50 de euro). Ca să nu risc, am hotărât să cobor cam în punctul pe care aveam să-l aproximez drept jumătatea drumului. Dacă aşteptam să mă apropii de Paris, poate că trenul nu mai avea opriri şi o băgam rău pe mânecă.

Trebuia apoi să-mi dau seama exact când să cobor. Nici asta nu era simplu, pentru că nu aveam ceas şi nu ştiam ce oră e – şi nici nu voiam să-i surprind şi să-i sperii pe ceilalţi pasageri apărând din senin pe raftul de bagaje. Trecusem graniţa franceză pe la miezul nopţii şi soarele răsărise de ceva timp, ceea ce remarcasem în timpul somnului meu cu urechile ciulite. (Ăsta era somnul meu de la o vreme – ca al peştilor, genul de somn în care ai urechile ciulite, la orice semn de pericol.) Trenul trebuia să ajungă la Paris la prânz, aşa că ceasul meu biologic mi-a spus că e timpul să mă mişc...

Cel mai bine era să cobor când trenul încetinea, în apropiere, dar nu chiar în gară. În felul ăsta, nu eram nevoit să merg prea mult până la următorul oraş sau următoarea gară şi în acelaşi timp era mai sigur. Trenul încetinea înainte a opri într-o gară şi, de asemenea, încetinea înainte de a accelera, după ce ieşea din gară. Era periculos să sar pe peronul gării, pentru că lumea mă putea vedea şi raporta, sau puteam fi, pur şi simplu, luat pe sus de autorităţile feroviare. Dacă săream înainte de gară, peronul avea să fie înţesat de oameni şi aş fi fost văzut, aşa că cea mai bună soluţie, am decis, era să sar imediat după ce trenul pleacă din gară. Trebuia să o fac la distanţa adecvată de gară, ca să fiu sigur că nu mă vede nimeni şi înainte ca trenul să accelereze, prinzând o viteză periculoasă.

La ora asta, planul meu inițial, de a mă face că dorm atunci când vine conductorul, ca acesta să nu-mi ceară pașaportul, se schimbase categoric și radical – a fost, practic, o lecție despre cum să fii flexibil și să te adaptezi la situație. La următoarea oprire, a mai intrat cineva în cușetă, așa că acum toate paturile erau ocupate. Când trenul a pornit, mi-am dat picioarele jos de pe raftul de bagaje, mi-am înșfăcat rucsacul și m-am pregătit să sar.

Am încercat să nu acord atenție mutrelor stupefiate ale celorlalți pasageri, ce se holbau în tăcere la mine, mai mult decât unul la altul. Știam că e bine să nu mă uit în ochii lor, pentru că asta i-ar putea speria, iar lucrul ăsta mi-ar face mari probleme. Mi-am scos capul pe geam ca să verific distanța și să estimez viteza trenului. Totul părea în regulă, așa că mi-am aruncat rucsacul afară, după care m-am strecurat pe geam și am sărit.

Calculele mele s-au dovedit destul de corecte – săritura a fost fără probleme, nu mi-am rupt nimic și n-am pățit nimic.

Însă probabil că nu era chiar atât de fără riscuri cum crezusem eu atunci. Am auzit mai târziu despre un alt tip de la LIRPS care se ascunsese între vagoanele unui tren ce mergea din Anglia în Europa și sărise la viteză mare. A avut mai multe răni grave, plus o fractură craniană. A cerut azil în Anglia și a devenit un ins foarte muncitor și un sportiv de succes.

Având în vedere locul în care aterizasem, nu avea cum să mă fi văzut cineva, așa că am pornit pe lângă șine, către gară. Biletul spre Bruxelles costa 46,40 euro, deci sub cei 50 pe care-i aveam, ceea ce era minunat – îmi rămâneau niște bani să dau un telefon. Estimarea mea fusese corectă și mișcarea una norocoasă.

Drumul spre Bruxelles mi s-a părut scurt și sigur, pentru că nu existau opriri pe traseu, așa că nu aveau să fie controale, ceea ce m-a liniștit puțin. Peisajele erau splendide, așa că tot drumul m-am uitat pe geam.

Aveam un număr la care să sun când ajung, ca să vină cineva să mă ia. Și, când am sunat, mi s-a spus unde să aștept, și că or să vină două femei să mă ia. Le-am recunoscut pe fetele cu aspect slav când s-au apropiat de punctul de întâlnire. Îți dădeai seama că sunt din Estul Europei atât după trăsăturile faciale, cât și, mai mult, după privire – nu aveau acea privire relaxată a europenilor, gen „nu-mi pasă ce părere ai despre mine". Mi-au răspuns când le-am făcut cu mâna.

— Cum ne-ai recunoscut, dacă ne-am îmbrăcat și ne-am purtat în așa fel încât să nu părem din Est? m-au întrebat.

Am mers cu mașina lor la apartamentul închiriat din apropiere, unde se mai aflau un tip și o fată – amândoi în aceeași situație ca mine. Pașapoartele noastre au fost gata și a trebuit doar să așteptăm următorul șofer disponibil, care să ne ducă la Londra. Se estima că asta se va întâmpla în următoarele două-patru zile.

Pentru orice eventualitate, am început să învățăm un pic de lituaniană și numele noastre, datele de naștere și semnăturile, pe care le exersam toată ziua.

Cele două femei ne-au povestit ce au pățit oameni care au trecut granița, dar nu erau pregătiți și nu și-au amintit noile lor identități – și cum au fost prinși la frontieră și apoi, când au fost interogați, n-au fost în stare să-și amintească data naşterii, numele sau semnătura. Se pare că uneori până şi faptul că o persoană nu răspundea la un salut în lituaniană o demasca, şi aceasta era imediat arestată. Nu-mi permiteam să dau greş. Străbătusem un drum lung şi nu voiam nici să-mi las fratele atât de adânc îndatorat, aşa că am învăţat repede, ceea ce nu mi-a fost greu, dată fiind uşurinţa mea de a învăţa limbi străine.

Stăteam toată ziua în apartament şi nu ieşeam niciodată, aşteptând să ne vină rândul. A doua zi, a fost rândul fetei, după care am rămas doar eu şi celălalt tip. Apoi mi s-a spus că şi şoferul meu e pregătit şi că a doua zi o să plecăm şi noi.

Planul era simplu: acesta avea să mă ducă cu maşina într-un oraş francez de lângă graniţă, de unde urma să călătoresc drept pasager într-un camion, purtându-mă ca şi cum şoferul tocmai m-ar fi luat şi pe mine până la Londra sau un oraş din apropiere, aşa că nu exista nici o legătură între şoferul de camion şi mine. Când ajungeam la destinaţie, banii pentru drum şi paşaportul aveau să fie plătite şoferului de către fratele meu.

La scurt timp după ce m-am urcat în camion, ne-am suit în ferry-boatul ce traversa Canalul Mânecii, îndreptându-ne către destinaţia mult visată. La graniţă, nu mi s-a pus nici o întrebare legată de identitatea mea sau despre altceva. Nu mi-a venit să cred. Mă aflam în Anglia şi eram liber. Fericirea îmi încălzea sufletul, ca o lumină ce venea din adâncul fiinţei mele.

Ne-am oprit într-o parcare aflată în apropiere de Dover, ca tipul care organizase drumul meu din Franţa în Anglia să poată veni să mă ia. Înainte de sosirea lui, mi-am făcut în minte mai multe scenarii privind ceea ce urmează, inclusiv unul în care eu fugeam, pur și simplu, ca să economisesc niște bani, dar, dat fiind că nu știam de aranjamentul lui cu fratele meu, m-am calmat curând. Cred că aveam creierul încă surescitat, de aici și mulțimea de gânduri.

Deși, sincer să fiu, mintea mea de maimuță nu s-a potolit nici acum, când scriu asta, și încă face planuri privind următoarea mișcare pe care ar trebui s-o fac!

Nu aștepta niciodată înainte de-a face ce dorești – începe și perfecționează-te în timp.

Dacă cei de la Apple ar fi așteptat să lanseze cel mai bun iPhone, poate că nu l-ar fi făcut niciodată nici pe primul.

Când am profitat de șansa de a ne închiria primul nostru birou, pe o stradă principală din centrul Londrei, și ne-am deschis o agenție imobiliară, am auzit despre un tip care era director general al filialei locale a uneia dintre cele mai mari agenții imobiliare din țară. Începuse de jos și ajunsese prin forțe proprii unde era, și făcea o treabă extraordinară. Ideea e că și-ar fi putut deschide propria sa agenție în ultimii cincisprezece ani, dar nu o făcuse niciodată. Am făcut-o noi.

Nici unul dintre noi nu știa cum se gestionează o agenție. Ne-a fost profesor Google.

Directori ai altor agenții ne-au amenințat că ne trimit poliția și Consiliul Concurenței peste noi și au făcut tot ce-au putut ca să ne închidă afacerea. Ne-au acuzat că n-avem ba o licență, ba alta, sau că facem reclamă unor lucruri cărora nu suntem autorizați să le facem reclamă.

Însă noi continuam să venim la serviciu în fiecare zi, învățând din fiecare situație pe care o întâlneam. De fiecare dată când intra o persoană îmbrăcată la costum în biroul nostru, ne stătea inima. *Cine ar putea fi* și oare ce altceva nu facem cum trebuie?

Dacă venea cineva la costum și cerea să discute cu directorul sau managerul, îl întrebam despre ce anume. Îi spuneam că directorul nu se află la birou momentan – deși noi doi eram directorii și nu aveam nici un angajat – și-l rugam să lase un mesaj. Apoi căutam pe Google încercând să înțelegem la ce se referă acel mesaj, și ce trebuia să facem ca să rezolvăm problema.

Făceam curat în apartamente pe rând sau uneori trebuia chiar să închidem biroul pentru un sfert de oră ca să facem curat într-un apartament sau să rezolvăm o problemă, după care ne întorceam și redeschideam biroul. Ani la rând, ne puteai vedea cărând paturi pliante sau mobilă dintr-un apartament într-altul sau dintr-un magazin într-un apartament. Abia după cinci ani am reușit să avem o echipă completă, care să se ocupe de toate operațiunile. Acum, avem suficient de mult timp liber ca să ne ocupăm și de alte lucruri (De pildă, să scriu cartea asta.)

Lecțiile pe care le-am învățat sunt să nu aștepți până totul e perfect, să te lași în voia stângăciilor și a prostiilor inerente – e singurul mod în care poți învăța ceva nou.

Sistemul nostru tradițional de educație ne-a întipărit în minte ideea că eșecul și sentimentul că ai greșit sunt cât se poate de jenante. Această abordare a fost perfectă pentru generații întregi de muncitori manuali și necalificați, care nu știau și nu puteau să fie altfel decât docili.

Dar nu poți realiza nimic decât dacă te simți ridicol, flămând și aiurea și accepți aceste sentimente.

Un mare om a spus odată că, dacă te simți gol în public, e un semn că ai început să faci ceva bine!

Vreme de câteva luni, înainte ca Radio W.O.R.K.S. World să-mi propună să am propria mea emisiune, am început să-mi închipui cum ar fi să intervievez oameni ieșiți din comun. Cred că gândurile mele au atras această șansă și am rezonat imediat cu ea și am prins-o din zbor. Nu m-am gândit nici o clipă că nu știu absolut nimic despre domeniul respectiv – deși am o deficiență de vorbire cu care alții poate s-ar fi jenat.

La doar patruzeci de minute după ce acceptasem oferta, am primit un telefon online. Nici măcar nu eram sigur că se dă pe post. Dar s-a dat – și a fost primul meu interviu.

Întâmplarea a făcut să fie la mai puțin de o oră după ce avusesem o întâlnire de patru ore cu Marina Nani, fondatoare a Radio W.O.R.K.S. World. Nu mă așteptasem câtuși de puțin ca discuția să vireze în direcția în care-a virat. Printr-o serie de întrebări, alternate cu brainstorming, m-a ajutat să stabilesc structura acestei cărți, titlul și coperta – totul în doar patru ore. Estimasem că va dura cam patru luni.

În orice caz, când am fost întrebat, într-un interviu, cum se numește cartea mea, încă eram în etapa de digerare a tuturor informațiilor noi, așa că mi s-a pus o ceață pe creier și nu mi-am amintit titlul. Tăcerea mi s-a părut nesfârșită – parcă aș fi căzut într-o gaură neagră a beznei mentale. Până la urmă, am reușit să găsesc pe telefon coperta cărții, care îmi fusese trimisă de grafician cu o jumătate de oră în urmă și, în cele din urmă, am răspuns.

În restul interviului m-am simțit la fel de aiurea și n-am fost deloc mulțumit de cum a ieșit. *Dar, hei, n-o să-i pese nimănui de mine, pentru că nu mă cunoaște nimeni, așa-i?*

Să te avânți în necunoscut și să spui da la ce rezonează cu dorința și pasiunea ta face minuni.

În dimineața aia mă trezisem cu gândul de a mai lucra puțin la carte, după care să mă duc la birou și să rezolv niște chestiuni de serviciu restante. N-am făcut nici una, nici alta, dar am făcut ceva ce n-aș fi crezut că pot reuși curând.

Am început să scriu cartea asta când eram în închisoare, am lăsat-o deoparte șase luni și apoi, într-o zi când m-am apucat să citesc ce-am scris, am hotărât s-o termin – eram curios să știu ce-o să i se întâmple protagonistului. Patru ani mai târziu, am petrecut cam opt luni terminând-o. O scrisesem pe hârtie reciclată de la birou (pagini cu text printat pe o parte și goale pe cealaltă). Au mai trecut doi ani până când am întâlnit pe cineva care s-a oferit să mi-o publice – trebuia să-i dau doar o versiune digitală. Ei bine, era o cerință greu de îndeplinit la ora aceea, dat fiind că tocmai îmi deschisesem afacerea mea și munceam optsprezece ore pe zi, șase zile pe săptămână.

Când am obținut primul meu pașaport adevărat, am plecat prima oară din țară, după zece ani. Când am trecut, la volanul mașinii mele, prin aceeași vamă în care intrasem prima oară în Anglia ilegal, a fost un sentiment copleșitor! Mi-am dat seama că tuturor le-ar prinde bine un experiment de genul ConsciouslyBlind – suntem cu toții prea influențați de ceea ce vedem. Când am venit aici, a trebuit să îndur luni de foame, somn pe apucate și pericole, iar de data asta mi-au trebuit doar patru minute să trec granița. Era clar, o mașină nou-nouță, haine curate și un pașaport roșu făceau viața mult mai ușoară în lumea asta.

Acest gând m-a făcut s-o sun pe persoana care se oferise să-mi publice cartea, ca să mă asigur că oferta încă era valabilă și să încep să o scriu pe computer.

Am aflat că persoana respectivă tocmai murise.

Ghinion! Era soţul bunei mele prietene Karina şi în mod sigur nimeni altcineva nu era interesat să publice ceva scris de mine. Şi totuşi, am hotărât că trebuie să transcriu manuscrisul în format Word şi să nu mai las pe nimeni să moară înainte să-i ofer şansa de a publica această carte.

Tocmai stăteam în lobby-ul hotelului şi redactam pagina şaptezeci a manuscrisului meu deja trecut pe digital, când a sosit Marina. Patru ore mai târziu, cartea era gata!

— Nu mai redacta, există oameni care cu asta se ocupă, a zis ea. Spune-mi, pentru cine e cartea asta?

Întrebare după întrebare, cartea a prins contur, capitolele au fost schiţate în linii mari, urmând să adaug textul, să pun practic carne pe schema deja făcută. Aşa s-a întâmplat şi cu numele cărţii... *Pe cont propriu – De la campion la sărăcie la campion în afaceri.*

— Campion! mi-a explicat Marina. Pentru cititor, asta o să însemne medalia de aur şi o recompensă pe măsură. O persoană care ştie să gestioneze cu disciplină şi profitabil toate lucrurile ce aduc succesul în afaceri: oameni, bani, clienţi... orice o face să se trezească mulţumită dimineaţa. Totul e posibil, dacă urmezi aceiaşi paşi.

A făcut o pauză.

— Ai o poză frumoasă? OK, trimite-mi-o.

Un minut mai târziu, aceasta a fost trimisă unui tip care face coperte de cărţi şi, o oră mai târziu, coperta era deja gata.

— Îmi place, e perfectă, a zis ea. E foarte ciudat, parcă nu e prima oară când o văd.

Şi totuşi, patruzeci de minute mai târziu, n-am fost în stare să-mi amintesc titlul cărţii. Mă străduiam să trec toate informaţiile astea noi în revistă, cu Marina. Era atât de copleşitor să-mi văd proiectul, început în urmă cu opt ani, în sfârşit, pe punctul de a se finaliza! În ziua aia, de la planul iniţial ajunsesem să am aproape produsul final şi se întâmplau foarte multe lucruri, pe care încă nu le digerasem. Interviul a ieşit groaznic, am simţit că răspund la fiecare întrebare folosindu-mă de răspunsul la întrebarea anterioară. Ei bine, oricum, cui îi pasă? – cum am zis, nu mă ştia nimeni acolo, aşa că vorbele mele aveau să fie înghiţite curând de valul nesfârşit al informaţiilor zilnice.

Tocmai încercam să mă liniştesc, când m-am uitat la telefon şi am observat mai multe notificări pe aplicaţia mea de Facebook. În mod normal, nu am prea multe notificări şi acum părea că am foarte multe simultan. Fir-ar să fie! Interviul fusese transmis şi online şi acum prietenii mei îl distribuiau, iar unii dintre ei îi dăduseră deja „like"! Acum era probabil văzut de prietenii mei, de angajaţii mei şi de toţi cei din „lista" mea de Facebook. Sentimentul de jenă şi de ruşine devenise deja copleşitor. Îmi imaginam lumea uitându-se la interviu şi râzând când mă vedeau cât de idiot păream!

Dacă aţi avut vreodată acel vis în care eşti gol în public şi nu găseşti nimic cu care să-ţi acoperi zonele intime... înţelegeţi exact la ce mă refer.

Am încercat să mă calmez cu cuvintele de care am pomenit mai sus: dacă te simţit gol, înseamnă că ai început să faci ceva bine. Dar încă era mult prea dificil! *De ce dracu' am făcut-o? Acum nu mai pot retracta! Nu poţi face ca lumea să uite ce-a văzut şi ce-a auzit! Sunt distrus!* Toată povestea asta nu-mi dădea deloc pace.

Nick, care lucrează pentru noi, a apărut la birou, unde mai avea de terminat nişte treburi. I-am împărtăşit supărarea mea, pentru că întotdeauna vezi altfel lucrurile atunci când discuţi despre ele cu alţii şi le povesteşti.

— Omule, n-o să stea nimeni să se uite la interviul ăla, aşa că nu-ţi face griji. N-are nimeni timp să se uite la ce vorbeşti tu, fiecare e ocupat cu ale lui.

Această simplă schimbare de perspectivă m-a făcut să mă simt mult mai bine.

Celor care contează nu le pasă, iar cei cărora le pasă nu contează!

În momentul în care scriu aceste cuvinte, am deja zece interviuri la activ, ca moderator. Şi da, sunt groaznic, dar încă învăţ. Dar sunt de asemenea sigur că fac lucrurile cum trebuie şi nu am nevoie decât de timp.

Nu aştepta să fii perfect, acceptă-te aşa cum eşti şi porneşte spre împlinirea ideii tale sau a ţelului tău!

Atunci când ţi se oferă şansa vieţii, nu te gândi la amănunte, pur şi simplu profită de ea. O să găseşti o cale, îţi garantez, aşa cum am găsit şi eu de fiecare dată când mi s-a întâmplat.

Când iubita mea a rămas însărcinată, nu m-am gândit nici o clipă că n-am un venit stabil, că n-am nici un ban pus de-o parte sau că eram amândoi imigranţi ilegali, fără paşapoarte valabile. Am fost doar fericit de veste şi sigur că totul se va aranja. Atâta timp cât eşti fericit şi faci lucrurile cum trebuie, e doar o chestiune de timp!

Statistic vorbind, se ştie că, pe patul de moarte, omul îşi aminteşte în general acele lucruri pe care nu le-a făcut.

Dacă viaţa îţi aduce în cale ceva care rezonează cu dorinţa inimii tale, acceptă acest dar; nu mai aştepta până vei fi pregătit. Dacă vrei copii, dacă vrei să-ți dai demisia dintr-o slujbă prea stresantă, dacă vrei să ieși dintr-o relație nefericită, fă-o pur și simplu – n-ai decât o viață. Dacă ai o idee de afacere sau vrei să-ți lansezi un blog, *începe chiar azi. Fă-o azi.*

După ce citești ultima mea propoziție, du-te și înregistrează acel domeniu, fă un pariu cu prietenii tăi că vei slăbi luna următoare, fă acel prim material video sau scrie acel prim articol, imperfect. Fă-o, pur și simplu, acum!

În următorul capitol, puteți citi unul dintre interviurile pe care le-am făcut cu un invitat a cărui poveste incredibilă vă va inspira.

Dacă dorești să-mi împărtășești povestea ta, mă poți contacta pe blogul meu, *vadimblog.com.*

Pe acest blog, le împărtășesc cititorilor mei lucruri esențiale pe care le-am învățat și apoi le-am exersat eu însumi, aflate de la unii dintre cei mai extraordinari oameni de pe pământ. Acolo veți găsi, de asemenea, și amănunte despre evenimentele și cursurile la care am participat, axate pe ideea de transformare personală, indiferent de cunoștințele sau experiența pe care le aveți.

Ofer cursuri de coaching, dar și urmez cursuri ale altor mentori.

De ce are nevoie cineva de lecții de coaching? Cei mai mari sportivi sau interpreți ai lumii au mentori și antrenori personali, pentru că aceasta este singura cale prin care te poți forța în permanență să atingi un nivel superior.

Ce nevoie are Real Madrid, una dintre cele mai bune echipe de fotbal din lume, de antrenor? Sunt cei mai buni din lume! Ei bine, oamenii cu cel mai mare succes din orice industrie au mai mult de un consilier sau mentor.

Dacă ai un țel important și vrei să fii cel mai bun din lume într-un anumit domeniu, ia-ți un coach sau un mentor. Și, atunci când vei deveni mai bun decît mentorul tău, ia-ți altul!

Află mai multe despre cum poți face cursuri de coaching cu mine pe *vadimturcanu.com*.

Înscrie-te pe *vadimblog.com*, ca să fii primul care primește noutăți despre cărți în curs de apariție, evenimente și promoții.

EMISIUNEA EMIGRANTULUI INTELIGENT

ÎN *EMISIUNEA EMIGRANTULUI Inteligent (TIMM)*, Vadim le ia interviu celor care au reuşit să aibă succes prin munca şi hotărârea lor. El speră că poveştile lor îi vor inspira şi motiva şi pe alţii să-şi pună în practică ambiţiile.

În paginile ce urmează veţi găsi transcrierea redactată a unuia dintre interviurile sale, cu extraordinarul antreprenor, originar din Rusia, **Serghei Kazacenko**.

VADIM: Bună dimineaţa, bună ziua, bună seara, oriunde vă aflaţi. Bine aţi venit la Radio W.O.R.K.S. World. Ascultaţi *Emisiunea emigrantului inteligent*, realizată de Vadim Turcanu. Scopul nostru e să dovedim că nu contează de unde vii sau care este viaţa ta în acest moment; calea spre succes se află în faţa ta, dacă eşti pregătit să porneşti la drum.

Invitatul nostru de azi e un exemplu grăitor al motivului pentru ne aflăm aici, şi pentru care facem această emisiune. Are o poveste incredibilă. M-a impresionat enorm. A plecat într-o ţară străină la cincisprezece ani, cu doar cinci dolari în buzunar, și, la o vârstă foarte fragedă, a reușit să devină partener senior al unei bănci globale de investiții. Bine ai venit, Serghei.

SERGHEI: Îți mulțumesc pentru cuvintele atât de frumoase.

VADIM: Povestea ta m-a uimit de-a dreptul. Și nu doar eu, ci cred că și toți ceilalți abia așteptăm să aflăm cum s-a petrecut această schimbare și ce anume ți-a dat puterea de-a o face.

SERGHEI: Păi, știi că cea mai mare putere o ai atunci când n-ai de ales – e cel mai mare avantaj pe care-l poți avea în viață. Dacă trebuie să găsești calea de-a merge înainte și știi că există o singură cale de urmat și aceasta e înainte, atunci trebuie doar să găsești modalitatea de-a o face. Te sforțezi până găsești soluția de a-ți atinge țelul. Iar pentru mine, asta a însemnat să-mi găsesc echilibrul în viață. Faptul că n-am avut de ales mi-a dat un mare imbold.

VADIM: Așa e, nu te mai poți răzgândi. Serghei, cu ce te ocupi acum? Dacă te întreabă cineva „Cu ce te ocupi, care e meseria ta?", ce-i răspunzi?

SERGHEI: Păi, sunt investitor profesionist. Investim în proprietăți imobiliare, investim în capital de risc, investim în active lichide. Îi ajutăm pe alții să-și împlinească visurile și poveștile de succes – atât firme (de pildă, un start-up care vrea să dezvolte un produs și să-l lanseze pe piață), cât și indivizi, persoane care doresc să aibă un venit pasiv și mai multă libertate. Oferim altora oportunități, astfel încât tot mai mulți oameni să poată ajunge în poziții în care am ajuns și eu. Dacă le putem face drumul mai rapid, o să fim foarte fericiți.

VADIM: Și cine sunt clienții tăi în acest moment? Care e clientul tău ideal?

SERGHEI: Sunt două tipuri diferite de clienți. Primul este start-up-ul, o companie start-up relativ recent înființată, care are un produs bun, o idee bună, dar poate n-are expertiza de business sau know-how-ul necesar pentru a avea succes singură, și are nevoie de ajutor. Administratorii ei au nevoie de o structură mai puternică de business, de un model financiar și de marketing și de un brand. Ăsta ar fi clientul numărul unu.

Clientul numărul doi e, firește, persoana care simte că s-a plafonat la slujbă sau se descurcă nemaipomenit în viața profesională, dar nu a reușit să obțină libertatea de a face ce dorește și ce o pasionează. Iar noi îi oferim șansa de a obține acea libertate investind corect, în siguranță și fără riscuri, în diferitele oportunități existente pe piață.

VADIM: Pari foarte organizat și profesionist în ceea ce faci. Dar cum ai ajuns unde ești acum? Dacă nu ți-aș fi citit sau auzit povestea, aș fi zis: e un tip care a avut o viață ușoară și a obținut succesul cu ușurință. Cum ai ajuns în poziția de azi? Ne poți povesti puțin despre viața ta, din momentul în care ai emigrat într-o țară străină? Fiindcă sunt sigur, unii dintre ascultătorii noștri nu văd un drum clar în față și nu știu încotro s-o apuce. Cum te-ai hotărât să intri în acest domeniu?

SERGHEI: Am început destul de devreme să-mi caut propriul drum. Vin dintr-o familie nemaipomenită din Rusia, dar ai mei nu erau prea înstăriți. M-au îndemnat să-mi caut propria cale în viață, de la o vârstă fragedă. Cred că aveam doisprezece sau treisprezece ani când am început să caut soluții de a câștiga bani, și am reușit s-o fac în cursul primei mele cariere de antreprenor, când eram foarte tânăr. Iar asta a însemnat să cumpăr și să vând echipament de schi, pentru că practicam schiul fond[5].

Mi-a mers foarte bine, așa că am început să mă gândesc ce aș mai putea face în continuare, pentru a obține efectiv acea stabilitate financiară pe care n-o aveam acasă, în Rusia, când eram eu copil. Pentru mine, unica soluție evidentă a fost să plec undeva unde s-o pot obține și să aleg între două țări pe care le cunoșteam destul de bine, și anume Finlanda și Suedia.

Suedia mă atrăgea foarte tare, așa că am început să trec în revistă modalitățile prin care puteam pleca și rămâne în Suedia. Am avut noroc să pot participa la diverse concursuri și programe de schimb de elevi și am fost selectat să merg în Suedia, vreme de nouă luni, într-un schimb școlar. Partea amuzantă era că trebuia să învăț în suedeză – o limbă pe care n-o mai auzisem până în prima mea zi de școală acolo. A fost o veritabilă provocare.

Urma să stau în Suedia nouă luni, după care să mă întorc, însă eram hotărât să găsesc o cale de a rămâne și de a-mi continua studiile. Așa că am petrecut o groază de timp

---

5 Sport de iarnă practicat cu schiuri cu legături cu călcâi mobil, popular în Europa de Nord și Canada.

învățând sudeza, într-un ritm destul de draconic. Și în cele din urmă am reușit să obțin al treilea cel mai bun rezultat la examen dintre toți elevii, și nu doar cei din școala mea, ci din întreaga țară. Asta i-a impresionat pe profesori, care mi-au oferit șansa de a mai rămâne acolo câțiva ani. Deci, cam ăsta a fost începutul meu...

VADIM: Așadar, n-a fost deloc vorba de noroc, nu?

SERGHEI: Parțial, a fost vorba și de noroc, dar eu nu cred că norocul e un lucru pe care-l obții. Norocul e un lucru pe care-l meriți. A trebuit să-mi sacrific mult timp și multe eforturi. Și nu e deloc ușor să fii nou-venit într-o nouă comunitate. Eram singurul străin din școală, un outsider bulversant, și a trebuit să fac față multor provocări fizice, de care te izbești la tot pasul la cincisprezece ani. Dar am avut noroc că în jurul meu erau oameni cumsecade, care m-au sprijinit la nevoie. Grație lor, am putut să fac față și să obțin prima mea diplomă, de finalizare a liceului, și să mă duc la facultatea la care voiam. Mi-am deschis prima firmă la șaptesprezece ani, după care am fost recrutat în lumea financiară.

VADIM: Totul a început să se miște foarte rapid.

SERGHEI: Exact, exact.

VADIM: Iartă-mă, Serghei, trebuie să revin și să fac o precizare. Și eu am hotărât să-mi schimb țara și am fost binecuvântat să am parte de oameni buni. Secretul, atunci când vrei să întâlnești oameni buni, în care poți avea încredere, e să ai încredere în oameni și să fii tu însuți deschis. Nu poți avea încredere în cineva fără să îi acorzi încredere de la început. Adică nu ai de unde să știi că poți avea încredere într-un om până nu îi acorzi încrederea ta.

Nu doar eu vreau să știu, cred că toți cei care ne ascultă au aceeași întrebare: vreau să-mi spui despre competițiile pe care le-ai câștigat înainte de a pleca în Suedia. Ai pomenit despre asta în treacăt, fără să te lauzi în nici un fel, dar cred că e destul de important să ne spui ce te-a ajutat să câștigi competiția și cum te-ai pregătit pentru ea? Și ce i-ai sfătui, poate, pe ascultătorii mai tineri? Care e cheia succesului?

SERGHEI: Dacă vrei să te duci în străinătate, de pildă, te ajută mult să știi limba și să ai niște cunoștințe practice solide. Cunoștințele mele practice constau în faptul că îmi place matematica și mă descurc destul de bine. Dar marele meu handicap era limba, pe care nu o prea stăpâneam. Să le unesc pe amândouă, limba și cunoștințele mele, aflate la polul opus, a fost o mare provocare.

Am început să-mi petrec o mulțime de ore de studiu suplimentar după școală ca să învăț engleza, limba de care aveam nevoie oriunde aș fi vrut să plec. Am petrecut foarte multe ore studiind cu un profesor privat. Mă rog, era profa mea de la școală, dar am convins-o să mă ajute să-mi îmbunătățesc engleza, iar pentru ea era o mare mulțumire pentru că putea apoi să se laude cu cineva care a făcut eforturi să învețe și care a avut doar de câștigat din asta.

Au fost ore și ore de meditații și, firește, n-a fost deloc o alegere ușoară. Prietenii mei erau afară și se distrau la tot felul de evenimente și activități plăcute, iar eu eram acasă, unde făceam și teme suplimentare. N-aș zice că toată viața am studiat întruna, nu a fost câtuși de puțin vorba de asta, dar mi-am investit foarte mult timp pentru a stăpâni acel unic lucru pe care trebuia să-l stăpânesc la perfecție. Și e o groază de efort, un mare chin să ajungi în acel punct. Nu e deloc simplu.

VADIM: O, da... știu exact ce vrei să spui. Sacrificiu... știi că, de fapt, e vorba despre faptul că îți plătești în avans viitorul, că trebuie să plătești acum ca viitorul tău să fie așa cum trebuie. E incredibil că nu știai nici boabă de suedeză. Cum a fost? Cum te-ai descurcat?

SERGHEI: A fost o mare provocare. Suedia era OK pentru că acolo toți vorbesc mai mult sau mai puțin engleza, ceea ce e nemaipomenit și e un punct foarte bun de plecare când începi să comunici. Dar apoi, când vine vorba de teme, la școală, evident, toate lecturile erau în suedeză. Mă întorceam acasă pe la ora trei după-masa și pur și simplu mă culcam, pentru că mi se învârtea capul de la limba respectivă, pe care nu o mai auzisem niciodată și din care trebuia să înțeleg măcar o parte. Și trei săptămâni mai târziu, am avut primul examen – era biologie în suedeză, ceea ce a fost un pic cam... înțelegi... Trebuia să-l trec ca să pot obține o notă bună, așa că a trebuit să memorez efectiv un capitol din manual, literă cu literă, ca să pot trece examenul. A fost destul de amuzant, fiindcă nu știam care e răspunsul, știam doar că acesta trebuie să fie destul de lung. Și așa am reușit.

A fost, atât fizic, cât și mental, o provocare uriașă să învăț o limbă nouă în câteva săptămâni, ca să pot începe să comunic. Dar cel mai mare ajutor a fost, chiar din prima zi, faptul că m-am înscris într-o echipă sportivă. În echipa de fotbal, cunoști cincisprezece oameni și toată lumea vorbește suedeză în jurul tău la antrenament și când socializezi, și ești forțat să asculți. Chiar dacă nu ești în stare să vorbești, ești forțat să asculți. Și vrei să faci parte din grup, nu? Nu vrei să fii un outsider.

VADIM: Corect.

SERGHEI: Asta m-a ajutat enorm. Categoric.

VADIM: Ai făcut o observație foarte bună. Când înveți limbi străine, dar și alte lucruri, cu cât ai parte de mai multe feluri de informații – tactile, vizuale și auditive –, cu atât mai bine. Așa că bănuiesc că, făcând sport, ai învățat limba în timpul antrenamentelor fizice, dar ai și învățat să comunici.

Serghei, mai vreau să te întreb ceva. Eu, unul, a trebuit să fug pentru a scăpa de condițiile din jurul meu, de situația în care mă aflam. Peste tot în jurul meu lumea suferea de foame, era săracă, și nici eu nu aveam cum să scap de asta. Nu vedeam nici un viitor în față, iar situația economică era cumplită. Deși eram o speranță pentru Olimpiadă, aveam centura neagră la judo și aveam succes, foarte des nu aveam practic ce să mănânc, și nici bani. Așa că, într-o zi, am hotărât că trebuie să fac o schimbare și, așa cum ai făcut și tu, să plec în altă parte.

Care a fost „de ce-ul" tău? Care a fost motivația ta? De ce te-ai hotărât să pleci?

SERGHEI: E foarte simplu. Am niște părinți extraordinari și le sunt recunoscător. Sunt demni de toată admirația pentru ceea ce au făcut în viața lor. Și a fost un mare chin pentru mine, când eram mic și vedeam că ar vrea să-mi dea mult mai mult, dar nu au de unde. Am avut o copilărie superbă și o familie fericită, dar când te uitai uneori la fețele lor și le vedeai dezamăgirea, simțeai că ar vrea să dea mai mult, dar nu pot. Și atunci m-am hotărât. Am știut că într-o zi o să am și eu copii și că nu vreau ca ei să vadă acea expresie pe chipul meu. N-am vrut să simtă și ei ce simțisem eu. Ăsta a fost un mare, mare „de ce".

Și am știut că trebuie să rezolv totul și să am o situație solidă înainte de a-mi face propria familie. Părinții mei ne-au dat, mie și fratelui meu, totul și suntem unde suntem azi grație felului în care ne-au crescut. Am vrut doar să duc ce ne-au învățat ei la următorul nivel și, pentru mine, următorul nivel a fost stabilitatea financiară. Nu m-am așteptat niciodată să ajung unde sunt acum și e mare bucurie pentru mine. Acum am două fete superbe și ne putem petrece timpul împreună și ne putem bucura de viață, și mă simt norocos.

VADIM: Mă uit la tine și simt în sufletul tău o flacără extrem de puternică, însă care nu se vede din afară. Și, când mă uit la cariera ta, văd că ai urcat mereu mai sus și tot mai sus! Când mă uit la toate aceste trepte ale scării succesului tău, mă gândesc că mulți s-ar fi oprit la mijlocul ei, sau poate chiar mai jos, și s-ar fi mulțumit cu ce au realizat până în acel moment; însă e ceva în tine care tânjește să urce mai sus și tot mai sus. Ce te animă, ce te face să mergi mai departe?

SERGHEI: O viziune. Știi, viziunea e cuvântul cheie pentru succes, în general. E chiar mai important în cazul nostru, care am venit din străinătate și trebuie să facem ceva într-o nouă cultură, în alt fel, să învățăm lucruri noi și utile, despre care habar n-aveam. Viziunea e esențială.

Din câte am văzut, cea mai mare provocare pe care o au oamenii e legată de faptul că fie n-au nici o viziune, fie n-au o viziune realistă, sau nu se pliază pe viziunea pe care o au. Marea, marea viziune a fost să am stabilitate financiară și am obținut-o mai devreme decât mă așteptam, așa că în acel punct aș fi putut să mă declar mulțumit. Dar un om fericit nu face asta. Fericirea nu vine din rezultat, ci din procesul prin care încerci să obții rezultatul. Așa că, din punctul meu de vedere, ai nevoie de o viziune foarte puternică. Viziunea și țelul trebuie să fie atât de tangibile că, atunci când închizi ochii, aproape le simți, aproape că le poți atinge și apuca, le poți mirosi, le cunoști în cel mai mic detaliu. Odată ce reușești asta, începi să cauți soluții, să găsești căi de a le împlini. Și îți dai seama și care sunt provocările pe care trebuie să le depășești pentru a ajunge acolo.

Și cea mai mare provocare pe care am remarcat-o, în cazul multora, e că aleg, ca să zic așa, să rămână la un anume nivel. Sunt oameni care nu-și schimbă țelurile, nu-și modifică viziunea, nu-și creează o alta. Cred că o parte a unei vieți de succes și a unei povești de succes e să reușești să realizezi ce ți-ai propus, înlocuind vechea viziune cu cea nouă.

VADIM: Ai vorbit foarte frumos. Serghei. Asta m-a motivat mereu și pe mine. E lucru știut că gândurile se transformă în lucruri și, atunci când ai un scop, trebuie să ți-l imaginezi în cel mai mic detaliu. Trebuie să vizualizezi scopul pe care ți l-ai propus și cum te vei simți, ce miros va avea, cum va fi când îl vei atinge concret, absolut tot... Așa cum ai spus și tu. E singurul mod prin care poate deveni realitate.

Dacă ai avea din nou, să zicem, douăzeci de ani, poate chiar cincisprezece ani, când te-ai hotărât să pleci, ce-ai face altfel? Ce sfaturi ai da altora, din poziția în care te afli acum? Ce i-ai spune băiatului de cincisprezece ani, care ai fost?

SERGHEI: E o întrebare foarte, foarte bună și foarte dificilă. Evident, așa cum știi, în viață mai și greșim, pentru că nu ne-am născut învățați. Singurii care nu greșesc sunt cei care nu fac nimic. Am urmat multe drumuri în viața mea și am trecut prin multe etape, am vizitat și am locuit în multe locuri și am întâlnit mulți oameni și cred că cea mai mare greșeală a mea, dacă stau să mă gândesc, a fost să nu fiu cât am putut de adaptabil, din prima zi – lucru explicabil, având în vedere că intram într-o cu totul altă cultură.

Nu trebuie să devii o altă persoană, nu trebuie să accepți orice și să te schimbi, dar trebuie să accepți faptul că oamenii pot fi diferiți. Și culturile pot fi diferite, ca și religia, politica, și orice altceva. Poate că tu vezi lucrurile altfel, și e absolut normal – asta face o societate să fie interesantă și captivantă.

Pentru mine, marea provocare a fost să vin în Suedia dintr-un sat destul de mic de la mama naibii, cu mentalitate rusească. A fost un mare șoc cultural, așa cum probabil e și normal. Și cred că, dac-aș fi fost mai deschis la minte din prima zi, mi-ar fi fost de mare ajutor. Dar mă bucur că azi am ajuns să fiu un om conștient de diferențele culturale și extrem de deschis.

După asta am stat o perioadă scurtă în Statele Unite și am văzut mulți oameni care făceau parte din societate, o nouă societate, însă alegeau să nu accepte diferențele. Nu spun că oamenii trebuie să se schimbe – e bine să rămâi mereu așa cum ești, să-ți păstrezi cultura, să-ți păstrezi rădăcinile. Pentru mine, Rusia e foarte importantă, sunt rus și mândru că sunt rus, dar trebuie să înțelegi că în orice cultură, religie – indiferent ce anume – există și beneficii, și plusuri și minusuri. Pur și simplu, acceptă-le. Odată ce le accepți, integrarea va fi mult mai rapidă, și mult mai lină. Iar propriile tale rezultate vor fi mai rapide și succesul tău va veni mai repede.

Marele meu avantaj în viață a fost faptul că vin dintr-o altă cultură și cunosc mai multe limbi străine, lucruri de genul ăsta, și asta doar din cauză că am reușit să comunic cu colegii mei, pe terenul lor, continuând să îmi păstrez identitatea rusească. Dar, dacă doar ții să-ți păstrezi identitatea rusească și nu accepți cultura locului, îți va fi foarte greu. Și am văzut asemenea oameni locuind azi în Suedia.

VADIM: Așa e. Înțeleg exact la ce te referi. Uneori e greu să te schimbi din cauza acelor repere culturale înnăscute pe care le păstrăm în noi pentru a supraviețui, într-un fel – e mecanismul nostru de supraviețuire, care nu e ușor de dinamitat. Doar atunci când facem un pas în față și ne deschidem către alții, se deschid și ei înspre noi. Și atunci vezi, în fine, omul adevărat. Și ai perfectă dreptate că, fără să te integrezi în comunitate, nu poți ajunge prea departe. Sunt total de acord cu tine.

Cred că greșeala mea a fost că eram prea concentrat la sportul meu, judo – de două ori pe zi, șase ore pe zi, șase zile pe săptămână. Sfatul pe care mi l-aş da, dacă aş mai avea iar douăzeci sau cincisprezece ani, ar fi să citesc mai mult. Lectura mi-a dăruit atât de mult, cum să zic, mi-a deschis atâtea perspective noi, atâtea oportunități, atâtea opțiuni. Şi sunt norocos că am reuşit să-mi deschid singur ochii asupra lucrurilor, în felul ăsta.

Ăsta ar fi fost sfatul tău pentru tine, când aveai cincisprezece ani, dar ce sfat ai avea acum pentru tine, când aveai douăzeci de ani? Între cincisprezece şi douăzeci de ani ai trecut prin multe schimbări, extrem de rapide, ce ți-au dezvoltat foarte rapid personalitatea. La douăzeci de ani, făcuseşi deja lucruri pe care alții mai în vârstă încă mai fac eforturi să le obțină; ce sfat ți-ai da acum ție, cel de douăzeci de ani, legat de cum ai putea face lucrurile şi mai bine? Sau dacă în locul tău s-ar afla acum altcineva?

SERGHEI: Azi sunt foarte deschis şi foarte comunicativ şi privesc cu bunăvoință orice persoană pe care o întâlnesc, până când îmi dovedeşte că mă înşel. Nu era la fel şi când aveam douăzeci de ani. Nu aveam această libertate şi încă simțeam pe umeri greutatea lucrurilor pe care vreau să le realizez financiar. Cred că în acel moment, când începi să priveşti mai pozitiv lucrurile din jurul tău, viața devine mai uşoară. Şi nu e din cauză că tu te-ai fi schimbat prea mult, ci pentru că eşti mai deschis şi îți e mai uşor să accepți lucrurile.

Când ai o atitudine pozitivă, înseamnă că în tot ce se întâmplă în jurul tău vezi oportunitățile, şi nu limitele sau problemele. Şi cred că, odată cu fiecare problemă, apare şi oportunitatea. Şi cu fiecare provocare, apare şi oportunitatea. Dacă stau să mă gândesc, am avut nişte idei senzaționale şi nişte proiecte senzaţionale la care am lucrat, care nu s-ar fi împlinit dacă n-aş fi acceptat provocările şi problemele. Oamenii care sunt în general optimişti mă impresionează foarte tare. Eu nu sunt o fire optimistă. Dar am devenit optimist când n-am mai avut nici o povară pe umeri. Dar aş spune că acel interval de timp, între douăzeci şi douăzeci şi cinci de ani, mi-a oferit un mare, mare sprijin financiar, reprezentat de faptul că am avut succes atât de devreme în viaţă.

VADIM: Dragă Serghei, sunt nişte sfaturi extraordinare, nişte cuvinte extraordinare. Fiecare afacere s-a născut dintr-o problemă. Fiecare afacere pe care o vezi se bazează chiar pe asta: Uită-te la problemă, încearcă să rezolvi problema.

A existat vreo persoană esenţială sau care te-a influenţat în viaţa ta, de la douăzeci de ani şi până azi, poate un partener de afaceri, sau tatăl tău... cineva care te-a influenţat să devii şi mai bun?

SERGHEI: Sunt în viaţa mea oameni fără de care n-aş fi putut fi azi aici. Cum ar fi, femeia care m-a invitat în Suedia. Dacă ea nu m-ar fi ales pe mine dintre toţi candidaţii, n-aş fi aici. Fiul ei e pentru mine „fratele meu suedez", şi am devenit foarte apropiaţi. Şi alt prieten al meu din Suedia care mi-a permis să locuiesc la el câţiva ani, atunci când mi-am prelungit studiile. Suntem şi azi buni prieteni. Fără el, n-aş fi azi aici.

Fireşte, există oameni de afaceri pe care i-am cunoscut, cum ar fi primul meu şef de la prima mea slujbă, cel care m-a angajat. Cred că a fost cel mai amuzant interviu pe care l-a dat vreodată cineva în viața lui, fiindcă eu nu aveam cunoștințele necesare, și el tot mi-a dat o șansă. Mi-a zis: dacă ești suficient de curajos să-ți susții punctul de vedere și să încerci să mă convingi, și ai determinarea necesară, într-un fel sau altul tot o să ai succes. Mi-a zis: „Trebuie doar să mă asigur că, pe lângă curaj, te duce și mintea." Așa că îi sunt foarte, foarte recunoscător că mi-a dat ocazia de a intra în lumea financiară.

Ca exemplu de urmat, cred că, dacă m-ai fi întrebat când eram foarte tânăr, aș fi răspuns că mi-ar fi prins foarte bine să am alături pe cineva care să mă sfătuiască din prima zi. Cineva pe care l-aș fi putut urma și asculta pas cu pas. Ăsta e sfatul meu pentru oricine: găsește pe cineva de lângă tine pe care te poți baza și în care poți avea încredere. Găsește pe cineva cu care poți vorbi, căruia îi poți împărtăși idei și care să te poată ajuta. Din păcate, eu n-am găsit acea persoană, sau, sincer să fiu, în jurul meu existau oameni pe care i-aș fi putut ruga să-mi fie mentori, dar eram prea naiv și credeam că mă descurc singur. Am făcut greșeli ce puteau fi evitate dacă ascultam oamenii potriviți și-i aveam lângă mine. Dar fără cei pe care i-am menționat n-aș fi azi aici.

Și, firește, tatăl meu e un mare exemplu, demn de urmat, din punctul de vedere al lucrurilor pe care le-a realizat în viață. Și, de fiecare dată când am de înfruntat o provocare sau o problemă, mă gândesc la el și la toate greutățile pe care a reușit să le depășească. Și așa, simt că problema pe care o am e, cum să zic, o nimica toată.

VADIM: Ai dreptate, e foarte important. Dacă nu ai aceste persoane în jurul tău, dacă nu ai cum să-ți permiți să ai o asemenea persoană lângă tine sau dacă, pur și simplu, nu există lângă tine nimeni pe care să-l poți admira, acum există cel puțin internetul, există cărți și alte oportunități. Dar soluția pentru a merge mai departe e să înveți de la cei aflați deja în acea poziție.

SERGHEI: În partea mai recentă a vieții mele, coach-ul meu mi-a fost de mare ajutor. Îmi dau seama acum că mentorul și coach-ul sunt destul de importanți. Acum am un coach care mă ghidează în lumea afacerilor. Se numește JT Foxx și el a fost cel care m-a îndemnat să ies din zona mea de confort și m-a forțat nu doar să accept punctul în care sunt, ci și să merg cu curaj înainte și să pun bazele unei noi viziuni. M-a forțat să explorez și să tânjesc după mai mult, când tocmai începeam să fiu puțin mai comod decât ar fi trebuit. Așa că-i sunt recunoscător. Dacă-i asculți pe cei pe care-i întâlnești în viața ta și le asimilezi mesajul, îți va fi infinit mai ușor să obții rezultate. Da, un coach care să îți fie mentor e important. Din păcate, n-am înțeles asta acum zece ani, ci abia acum.

VADIM: E bine că ai înțeles-o acum și nu peste zece ani! E foarte important să ai un coach. Să zicem că optzeci la sută dintre afacerile care sunt lansate sfârșesc în faliment sau închizându-se. Dacă te uiți însă la toate francizele, rata de succes a acestora e de optzeci la sută. E doar din cauză că acolo există un sistem, un soi de sistem de coaching, ca un mentor, care îi învață pe oameni și-i instruiește cum să se ocupe efectiv de o anume afacere. Și ceea ce spui tu e corect: dacă ai ocazia de a învăța de la cineva care e deja în punctul visat de tine, trebuie să profiți de acea ocazie – fiindcă e cea mai sigură cale de a avea succes în ceea ce vrei să faci.

Alt lucru pe care voiam să ți-l spun, Serghei, se leagă de ceea ce mi-ai povestit, de faptul că acel coach te-a împins de la spate, când deveniseși un pic prea comod. Există un om de afaceri american, Jesse Itzler, de mare succes, care a povestit cum alerga la un ultramaraton și a văzut un tip imens, în jur de 120 de kile, care își fracturase efectiv toate oasele din laba piciorului, dar continua să alerge. Jesse Itzler s-a uitat la el gândindu-se: Dumnezeule mare, cine e omul ăsta? Mai târziu, l-a contactat pe tip și a zis: vreau să ne întâlnim și să învăț de la tine. Și, cât ai clipi, s-a hotărât să-l invite pe acest om să stea la el acasă, cu el și soția lui, ca să poată, pur și simplu, învăța de la el. Iar tipul era Navy Seal[6]. I-a zis, ei bine, dacă ești atât de dement să mă inviți la tine acasă, și eu sunt la fel de dement ca să accept.

Militarul a venit acasă la Itzler și în prima zi l-a pus să facă flotări. Când n-a mai putut, Itzler s-a sforțat să mai facă încă vreo câteva și în cele din urmă a făcut cam patruzeci de flotări. Și apoi militarul a zis: acum fă încă o sută. Ce tot spui? a zis Itzler. Am dat tot ce-am putut! Nu, trebuie să mai faci o sută. Și militarul l-a forțat să le facă. Așa că, încet-încet, Itzler le-a făcut și a zis: n-am bănuit că am atâta putere în mine.

---

6 United States Navy SEALs (engleză, SEa, Air și Land) sunt forțele speciale ale Marinei SUA create pentru conducerea cercetării, activităților speciale și diversioniste, luptei antiteroriste, operațiunilor de căutare-salvare și altor sarcini încredințate de comandamentul forțelor speciale.

Ce voia militarul să spună era că, atunci când credem că am dat tot ce putem, asta e doar patruzeci la sută din ce suntem în stare să dăm – dacă avem încredere în noi. Practic, ne lăsăm şaizeci la sută din potenţial nefolosit, dacă nu tragem suficient de tare de noi. E o lecţie incredibilă.

E un mare noroc să ai lângă tine acei oameni care te împing de la spate – acea persoană care te împinge de la spate, te ajută să creşti şi să mergi înainte. E extraordinar.

SERGHEI: Vorbeşti despre un fapt deja demonstrat de ştiinţă – ne folosim un procent foarte limitat din capacitatea noastră. Şi sunt un număr imens de oameni care folosesc chiar mult mai puţin de atât! Eu ţin o mulţime de conferinţe internaţionale pentru a ajuta antreprenorii şi companiile şi a motiva oamenii. E o poveste foarte frumoasă pe care mi-o spunea coach-ul meu, şi pe care o repet şi eu deseori, în conferinţele mele.

Dacă există doi zgârie-nori şi între ei există o sârmă foarte îngustă, pe care trebuie s-o traversezi ca să ajungi în partea cealaltă, ai s-o faci? Probabil că nu. Dacă acea sârmă îngustă duce spre a doua casă, care arde, în mod sigur n-ai s-o traversezi. Dar acum imaginează-ţi următoarea situaţie: există o sârmă care te duce în partea cealaltă şi a doua clădire e în flăcări, *dar* pe partea cealaltă se află copilul tău. Probabil nu va fi niciodată o problemă pentru tine să ajungi în partea cealaltă, pentru că îţi uiţi, brusc, o parte dintre limite. Şi de-asta vorbesc destul de mult despre cum să te forţezi să te ridici deasupra propriilor limite. Eu am avut multe limite *auto-impuse* – mi-am stabilit singur o mulţime de limite. Societatea îţi pune şi ea destul de multe limite şi e foarte greu să încerci să le depășești. Fiindcă suntem obișnuiți să gândim într-o cutie în care ne-a pus altcineva, dar odată ce ai depășit limitele, atunci se petrece lucrul cel mai important. Și atunci înțelegi cu adevărat cine ești și obții rezultate la care nu te-ai fi așteptat.

VADIM: E o imagine foarte puternică, dragă Serghei. Ai perfectă dreptate. Atunci se întâmplă minunea. Nu știi de ce ești în stare până nu te sforțezi, iar și iar și iar. E incredibil. Unde poți fi găsit? Dacă sunt oameni care vor să afle despre afacerea ta, despre ceea ce faci, despre serviciile oferite de compania ta, unde te pot găsi?

SERGHEI: Pe Facebook. Asta-i frumusețea rețelelor de socializare. Sunt foarte accesibile. E de departe cea mai simplă cale de a lua legătura cu mine. Iar toate oportunitățile de afaceri sunt și ele menționate pe pagina mea personală. Și sunt bucuros să comunic cu oameni care sunt interesați să facă afaceri cu mine sau să-mi ceară un sfat personal. Așa că Facebook e cea mai accesibilă cale de-a mă găsi.

VADIM: Să spunem că o persoană dorește să investească într-un anume produs sau caută idei – poate chiar are o idee de a demara o afacere –, în ce punct ar trebui să ceară ajutor, de pildă, legat de buget?

SERGHEI: Financiar vorbind, trecem în revistă toate opțiunile existente. Așa că nu prea contează în ce etapă te afli, noi vom face o analiză a oportunității și îți vom trimite feedback-ul nostru. Dacă nu e pentru noi, îți vom recomanda pe cineva. Dacă e o întrebare personală, a cuiva care dorește să-și trăiască viața visată, dar să se bucure de libertate – ca să se poată dedica pasiunii sale –, și să facă asta cu ajutorul unui venit pasiv, ne bucurăm să-i putem explica modul în care poate realiza acest lucru. Fără cea mai mică problemă. În aceste cazuri, probabil că metoda cea mai simplă de a ne contacta e probabil prin e-mail. Adresa noastră de e-mail este post@schinv.com.

VADIM: Mulțumesc, ascultătorii pot, de asemenea, afla mai multe despre tine și pe canalul de YouTube al Radioului nostru W.O.R.K.S. World, ca și pe pagina noastră de Facebook. Serghei, a fost o mare plăcere să-ți aflăm povestea. Ești o persoană care te inspiră și te mobilizează.

SERGHEI: Plăcerea a fost de partea mea. Ți-am citit biografia și sunt foarte impresionat. Sunt foarte bucuros că oameni ca tine fac asemenea emisiuni, adresate publicului larg, care oferă sprijin oricui are nevoie de el. Cu cât sunt mai mulți cei care pot beneficia de asta, cu atât mai mult sens capătă viețile noastre. Așa că îți sunt foarte recunoscător că mi-ai oferit șansa de a vorbi cu tine azi.

VADIM: Mulțumesc mult, Serghei. Sper să ne revedem curând și îți doresc mult succes în afaceri și în împlinirea tuturor țelurilor tale.

BONUS*: 50% reducere pentru evenimentul Uncagex sau orice curs onlain creat de Vadim Turcanu

*Doar scrie o evaluare a acestei cărti pe platforma de pe care ai cumpărat-o. Găsește cursurile sau evenimentele pe pagina www.vadimturcanu.com sau www.uncagex.com și folosește bonusul.

Despre Autor

Născut și crescut în Moldova, Vadim Turcanu a fost sportiv profesionist și are centura neagră la judo. În timpul său liber, îi place să deseneze portrete în tuș și să facă judo cu fiul său.

Vadim e un antreprenor de succes, care în prezent conduce, împreună cu partenerul cu care a fondat-o, o firmă de administrare imobiliară din Londra, cu o cifră de afaceri de milioane de lire sterline. E un cititor avid al cărților de dezvoltare personală și de cercetare în domeniul marketingului.

Cea mai mare dorință a lui e cea de a oferi șanse altora prin intermediul cunoștințelor sale, în cadrul unor ședințe de coaching.

E-mail: (info@vadimturcanu.com)